O RELATÓRIO DA
CIA

COMO SERÁ O MUNDO EM
2020

O RELATÓRIO DA CIA

COMO SERÁ O MUNDO EM 2020

Tradução de:

Marly Netto Peres (francês)

Cláudio Blanc (inglês)

Ediouro

Título original: *Le rapport de la CIA : Comment sera le monde en 2020 ?*

ISBN: 2-221-10530-3

Direitos cedidos para esta edição à
EDIOURO PUBLICAÇÕES LTDA

Preparação de textos: Marcia Alves Batista e Alexandra Costa da Fonseca

Revisão: Ruy Cintra Paiva e Elvira Serapicos

Capa: Laszló Josvay

Diagramação e infografia: Osmane Garcia Filho

Dados Internacionais de Catalogação na Publicação (CIP)
(Câmara Brasileira do Livro, SP, Brasil)

Relatório da CIA : como será o mundo em 2020? / apresentação de Alexandre Adler ; introdução de Heródoto Barbeiro ; tradução de Cláudio Blanc e Marly Netto Peres. — São Paulo : Ediouro, 2006.

Título original: Le rapport de la CIA : comment sera le monde en 2020?
ISBN 85-00017-05-8

1. Globalização 2. Política mundial 3. Previsão do futuro 4. Serviço de Inteligência - Estados Unidos I. Adler, Alexandre. II. Barbeiro, Heródoto. III. Título.

06-2965 CDD-320.91

Índices para catálogo sistemático:
1. Estudos do futuro : Política mundial : Ciência política 320.91
2. Relatório da CIA : Previsões do futuro :
Política mundial : Ciência política 320.91

Ediouro
EDIOURO PUBLICAÇÕES LTDA

Rua Nova Jerusalém, 345 – CEP 21042-230
Rio de Janeiro — RJ
Tel.: (21) 3882-8200 — Fax: (21) 3882-8212/ 8313
e-mail: editorialsp@ediouro.com.br;
vendas@ediouro.com.br
internet: www.ediouro.com.br

Sumário

Apresentação

por Demétrio Magnoli

A idéia da história como uma seta, de um tempo que transcorre linearmente, de um presente que se esvai como a areia de uma ampulheta e de um futuro que evolve a partir da fonte do presente não tem nada de "natural". Ela se instalou entre nós há poucos séculos, como fruto da revolução científica, da filosofia das Luzes e do racionalismo, e serviu como arcabouço para a "ciência da História".

Eis a raiz da noção de que podemos, por meio dos instrumentos da razão, perscrutar alguma coisa entre as nuvens que cobrem o horizonte do futuro. As bases intelectuais dos "estudos do futuro" remontam a meados do século XIX, mas esse campo acadêmico estabeleceu-se apenas no pós-guerra, assumindo a forma de investigação estratégica e militar nos EUA e de planejamento econômico na então URSS.

Esta obra, preparada pelo Conselho Nacional de Inteligência, o centro de análises estratégicas da comunidade de inteligência dos EUA, inscreve-se na tradição dos "estudos do futuro". Mas seu horizonte é 2020, ou seja, um futuro-quase-presente que a maioria de nós viverá para ver.

Trata-se de um período de transição: "O fim da Guerra Fria alterou a paisagem política, mas as repercussões desses eventos espetaculares continuam a se desdobrar". O mundo do futuro próximo não terá pólos de poder tão claramente concentrados no Ocidente quanto o mundo do pós-guerra. O século XXI será, em muitos sentidos, um "século asiático". A ascensão da China e da Índia, tendência já em pleno curso, está moldando novas redes e novos fluxos na economia mundial, com impactos estratégicos e culturais.

A principal qualidade desta obra é que, ciente das incessantes ironias da história, ela não cede à tentação de enveredar por um "determinismo profético". Interpretando a globalização como uma "megatendência", a força ubíqua que aciona inúmeros motores paralelos, os analistas desenham cenários do sistema internacional de 2020. São quatro cenários que funcionam como holofotes para as grandes linhas de força de um "presente que quer ser futuro": o **Mundo de Davos**, a ***Pax* Americana**, um **Novo Califado** e o **Ciclo do Medo**.

O "relatório não-sigiloso", como a própria obra se qualifica, não se dirige à comunidade de inteligência, mas a todos os leitores informados. Escrita em linguagem clara e direta, quase totalmente isenta de expressões cifradas, a análise se sustenta sobre um aparato estatístico abrangente, mas apresentado de modo sedutor. Os quatro cenários desempenham a função de sínteses parciais e são acompanhados por registros "jornalísticos" ficcionais, que sugerem atalhos entre o presente imediato e o futuro próximo.

A exploração do futuro oferecida pelo Conselho Nacional de Inteligência dos EUA não mantém nenhum vestígio de semelhança com as análises acadêmicas, suposta ou realmente "neutras", que só devem obediência à sua metodologia. Aqui, o telescópio que perscruta o mundo está firmemente plantado em Washington — ou, melhor ainda, em McLean (Virgínia), quartel-general da CIA. Os interesses estratégicos norte-americanos perpassam todo o texto, definindo os temas prioritários e o recorte das indagações cruciais. Seguramente, o mundo de 2020 não seria o mesmo se fosse descrito pela comunidade de inteligência britânica, russa, chinesa, egípcia ou israelense.

Isso não significa que esta obra é uma narrativa doutrinária ou ideológica. A comunidade de inteligência norte-americana, ou ao menos parte significativa dela, trava uma guerra surda contra a *entourage* de George W. Bush, que, há alguns anos, manipulou e torceu as investigações de campo até conseguir a documentação que "comprovava" o suposto programa de desenvolvimento de armas de destruição em massa do Iraque. Essa comunidade pode ou não ter compromissos com a verdade, mas certamente está interessada em preservar a própria reputação.

Introdução à edição brasileira

por Heródoto Barbeiro

O dilema da supremacia

O senador John Kerry criticou duramente o discurso sobre o Estado da União proferido por George W. Bush, no qual expôs seu programa de governo para 2006, dizendo que o país descrito pelo presidente dos EUA é uma fantasia. Kerry, candidato democrata derrotado na eleição de 2004, traçou um país muito diferente do que a maioria dos norte-americanos vive no dia-a-dia. Ele afirma que Bush se nega a dizer toda a verdade acerca da dependência dos EUA ao petróleo, e que os viciados em petróleo são o governo Bush e os republicanos de Washington. Foram eles, segundo o senador da oposição, que não quiseram romper com uma dependência que debilita a economia e a segurança nacionais. Kerry não disse, mas sugeriu que a própria família Bush e o vice-presidente Dick Cheney têm interesses pessoais em empresas petrolíferas dentro e fora dos EUA.

O presidente Bush, segundo o jornal *The New York Times*, ofereceu à nação um cardápio modesto de propostas sobre energia, saúde e educação, e alertou quanto ao "falso conforto do isolacionismo". Em outras palavras, George W. Bush, representante de um setor conservador da sociedade norte-americana, traçou um perfil mundial para os EUA: apesar do equilíbrio estratégico com outras potências mundiais, algumas delas grandes rivais no passado, como Rússia e China, o país deve atuar no exterior com o envio de tropas, como no caso do Iraque e do Afeganistão. A frase mais marcante de seu discurso foi "a América está viciada em petróleo", estabelecendo como meta substituir 75% da importação de petróleo do Oriente Médio por etanol e outras fontes de energia até 2025. Com essa meta destacam-se duas idéias estratégicas: a dependência das importações do petróleo e os efeitos preocupantes sobre o clima do planeta da queima de combustíveis fósseis. Foi um recado para os que criticam o fato de os EUA se manterem fora do Protocolo de Kyoto.

A estratégia norte-americana, materializada na administração Bush, acrescenta um novo pano de fundo, que busca lidar com as ansiedades causadas por uma economia em rápida mudança e por uma sociedade em processo de envelhecimento. Para o presidente dos EUA, a resposta não é se isolar diplomaticamente, como aconteceu em outras etapas da história do país.

> "Em tempos complexos e desafiadores, a estrada para o isolacionismo e o protecionismo pode parecer ampla e convidativa, mas termina em risco e declínio! A única forma de proteger nosso povo, a única forma de garantir a paz, a única forma de controlar nosso destino é com nossa liderança, e assim os EUA continuarão liderando."

Esse discurso foi lido como uma proposta do Estado, não do governo. Depois de refeito 23 vezes pela assessoria da presidência e por membros de outros órgãos governamentais, seu objetivo foi traçar a estratégia de curto, médio e longo prazos dos EUA. Uma boa parte dessa estratégia está neste *Relatório da CIA — Como será o mundo em 2020*.

A visão da sociedade norte-americana é que em 2020 os países asiáticos, sobretudo China e Índia, podem liderar nos campos da ciência e da tecnologia por meio de investimentos feitos tanto na área da pesquisa básica quanto na manutenção de milhares de bolsistas em universidades ocidentais — o que já acontece hoje, uma vez que a maior parte desses bolsistas estuda nos EUA. Alguém já disse que, quando vai à biblioteca de uma universidade norte-americana no fim de semana, só encontra estudantes asiáticos por lá. Tal realidade é quase uma retomada do processo iniciado pelo Japão no final do século XIX, quando avançou em uma revolução industrial atípica, fora do controle das potências imperialistas, e que resultou no nascimento de um forte competidor nas primeiras décadas do século seguinte. Outro exemplo foi o do matemático chinês que trabalhou no desenvolvimento da bomba atômica norte-americana e que, ao voltar para seu país na década de 1950, ajudou a China a se tornar uma potência nuclear. Por isso a disposição estratégica dos EUA de investir pesadamente no financiamento da ciência básica nacional e na luta por um melhor ensino de Ciências e Matemática nas escolas do país. Isso não quer dizer que os EUA abdicarão de ser o maior importador de cérebros do mundo. Os responsáveis pela manutenção da liderança do país no planeta não querem mais ser surpreendidos como aconteceu nos governos de Dwight D. Eisenhower (lançamento do *Sputnik*, primeiro satélite artificial, pela União Soviética) e de John F. Kennedy (Yuri Gagarin, astronauta russo, foi o primeiro a dizer que, vista do espaço, a Terra é azul).

Em momentos de formulação estratégica, como o que vivem hoje os EUA, é comum que os dois maiores partidos do país tenham divergências acerca da periferia das propostas, mas concordem com seu núcleo principal. Em nome dessas políticas do Estado, e não só do governo, há entendimentos e a formulação de um caminho estratégico comum. Em situações como essa, de alternância entre democratas e republicanos, discute-se a maneira como fazer, não o que fazer. Há consenso sobre o *establishment* norte-americano, muitas vezes surdo e perseguido pela maioria silenciosa, zelosa da hegemonia que o país conquistou no período pós-Segunda Guerra Mundial e que nunca mais perdeu. É isso que perpetua o *American way of life*.

Todos sabem que para manter a sociedade mais rica do mundo, a maior consumidora de matérias-primas, é preciso não abrir mão da hegemonia, que nem sempre vem revestida com a carapaça ideológica do "desenvolvimento, comércio e democracia". A realidade de sua preponderância no mundo são os bilhões de dólares gastos no complexo industrial-militar, que em última análise sustenta as linhas mestras da dominação norte-americana. Não são os críticos que anunciam essas estratégias, mas os próprios presidentes, representantes desse ideal dominador. "Os americanos não devem temer nosso futuro econômico porque temos a intenção de moldá-lo", disse George W. Bush. Eis aí um exemplo nítido da direção estratégica para os EUA.

O imenso poder econômico, político e militar não muda de posição de um governo para outro. É como um enorme navio que faz manobras lentas para alterar o rumo porque essa é a sua natureza, a natureza da nação hegemônica do planeta. Por isso, em 2006, o governo dos EUA vai continuar firme no Iraque e ao mesmo tempo atuar para frear o Irã, em sua busca desenfreada por armas nucleares, e o grupo militante islâmico Hamas, grande vencedor das eleições palestinas. É preciso estar presente para forçar o Hamas a "reconhecer" Israel, desarmar, rejeitar o terrorismo e trabalhar por uma paz duradoura". É estratégica também a avaliação do cenário em que vai se travar, até 2020, a disputa pela hegemonia mundial, e o próprio Bush deu uma pista disso: "Em 1945 havia cerca de duas dezenas de democracias no planeta. Hoje há 122".

É nesse cenário de construção de governos abertos, globalizados, altamente competitivos e com novos atores asiáticos surgindo — China e Índia — que vai se desenrolar a competição. Trata-se, indiscutivelmente, de um campo minado, mais perigoso que nos tempos da Guerra Fria, quando o inimigo tinha nome e bandeira. Hoje ele possui apenas símbolos difusos e está espalhado por todos os lados, inclusive nas entranhas do líder. Há até os que criticam a política de combate ao terrorismo, uma vez que tal política pode estar criando terroristas. Isso quer dizer que o combate ao terrorismo deve começar fora das fronteiras nacionais, a fim de impedir que os agressores transfiram o campo de batalha para o interior do país. Esse discurso atinge em cheio a classe média norte-americana e consegue apoio para intervenções militares no exterior, muitas vezes por pura aventura.

A busca por uma alternativa ao petróleo vai provocar uma nova era de desenvolvimento de usinas nucleares, além da busca frenética por combustíveis, entre eles o etanol, que já tem preço para concorrer com a produção brasileira. Para chegar em 2025 consumindo menos petróleo, os EUA precisam parar de importar 12 milhões dos 21 milhões de barris que queimam por dia. Os maiores fornecedores são México, Canadá e Venezuela, países que não estão nas áreas conflagradas do Oriente Médio. Estrategicamente, o objetivo é importar menos do Oriente Médio e manter o fluxo dos países americanos, ainda que na Venezuela haja um fator conjuntural desestabilizante, o presidente Hugo Chávez e seu antiamericanismo tonitruante, para alguns tão *démodé* quanto o de Fidel Castro.

"Há muito tempo decidimos ser os primeiros", disse Bush em seu discurso. Essa decisão, tomada no passado, é o primeiro encargo de qualquer presidente norte-americano, seja ele democrata ou republicano. É um compromisso assumido por todos: alguns o assumiram tacitamente, como o democrata Bill Clinton; outros o fizeram de forma espalhafatosa, como George W. Bush, mas todos sabem que essa é sua principal missão, e que dependem dela para que todas as outras dêem certo. Trata-se de uma tradição que remonta a George Washington, mas que incorporou o conteúdo de potência e hegemonia, de fato, no final do século XIX.

A opinião pública norte-americana oscila no apoio ao governo dependendo do teor da mídia, e casos emblemáticos como o do Iraque receberam 58% de desaprovação, segundo pesquisa CNN/*USA Today*/Gallup, divulgada em janeiro de 2006. Essa é a face dolorosa do intervencionismo militar, quando o número de civis e soldados mortos aumenta e a TV mostra o fato na sala de estar do norte-americano médio. O Iraque ainda não se compara ao desastre da Guerra do Vietnã nas décadas de 1960 e 1970, mas dá um frio na barriga pensar que tudo pode dar errado. Menos para a doutrina Bush, que vê a instalação a curto prazo de uma democracia funcional no Iraque, com a eleição democrática de um governo e a posse de deputados eleitos não se sabe como. Também não se sabe quantos carros-bomba explodirão nem quantos corpos devem desembarcar, envoltos na bandeira dos EUA e solenemente carregados por cadetes de West Point, nas bases aéreas norte-americanas*. Segundo o jornalista Jim Pinkerton, da New American Foundation, o governo define seus propósitos. A Guerra do Iraque, por exemplo, não vai bem, conclui Pinkerton, responsável por vazar notícias contrárias ao governo ou à execução da estratégia delineada para 2020. Isso pode custar ao jornalista a pecha de impatriótico, um susto em uma sociedade que viveu o macarthismo nos anos 1950.

Analistas independentes, consultores externos e funcionários do Pentágono avaliam que as Forças Armadas dos EUA não mudarão suas estratégias, e que as reformas propostas pelo secretário de Defesa Donald H. Rumsfeld são pífias, pois defendem que tudo deve ficar como está, uma vez que o poderio militar é o sustentáculo da hegemonia político-econômica norte-americana. A visão do futuro pressupõe o treinamento de milhares de soldados para atuar em operações especiais e para a fabricação de armas futuristas, a fim de derrotar grupos terroristas e novos adversários em potencial (leia-se China). A Guerra do Iraque exige, além de avaliações militares, uma ampla administração econômica e financeira, uma nova forma de gestão que contemple o complexo industrial-militar com gigantescas encomendas — e que não absorva parte do orçamento destinado à pesquisa e a outras necessidades militares.

* O governo iraquiano já declarou que se houver a retirada das tropas americanas o caos vai se instalar no país. O atoleiro se converte em areia movediça, e a popularidade de Bush bate o fundo do poço em abril de 2006.

Há no Pentágono, hoje, uma acirrada disputa pelo controle dessa gestão entre grupos civis e militares envolvidos com grandes empresas e o compromisso com a estratégia da manutenção da liderança mundial. O núcleo do debate é como desenvolver novas tecnologias vitais e capazes de combater grupos terroristas e outros adversários não-convencionais. Como adequar as Forças Armadas dos EUA para que possuam serviços armados mais móveis e letais, capazes de lidar com as ameaças emergentes de grupos terroristas e rebeldes? Como impedir a progressão da fabricação de armas de destruição em massa, mantendo o predomínio nos campos de batalha convencionais? Como manter a capacidade das Forças Armadas norte-americanas de atacar rapidamente e em qualquer lugar do mundo com forças convencionais? A definição dos investimentos está diretamente acoplada ao planejamento estratégico para 2020.

O dilema de como direcionar o poderio militar dos EUA tem de ser resolvido a curto prazo, ou melhor ainda, durante a administração Bush/Rumsfeld. Segundo Loren Thompson, do Instituto Lexington, organização de pesquisa de Washington, apesar de a base do documento de planejamento das Forças Armadas norte-americanas ser a de que as ameaças tradicionais estão decrescendo e as não convencionais se expandindo, tem-se a impressão de que o governo dos EUA não sabe o que fazer a respeito. O conflito com o Iraque tem muito a ver com essa demora. Talvez Bush tivesse de dar mais atenção ao relatório do consultor da ONU, Hans Blix, que sustentou publicamente a inexistência de armas de destruição em massa no Iraque e denunciou que tal afirmação nada mais era que uma alavanca utilizada pelo governo para movimentar a mais fabulosa e cara máquina de guerra jamais vista na história da humanidade contra o ditador iraquiano Saddam Hussein.

Em outras ocasiões, como na Guerra da Espanha e na Primeira e Segunda Guerras Mundiais, outros presidentes recorreram a expedientes para comover a opinião pública, mas, desta vez, a convicção do apoio era tal que pouco se fez para ganhar a adesão popular. O atentado de 11 de setembro de 2001 foi o fiador do sucesso político e da mídia para sustentar a ação. Na outra ponta das atenções dos estrategistas da Casa Branca está a China, e os formuladores da política externa norte-americana não escondem isso. Segundo Evan Medeiros, especialista em questões chinesas da Rand Corporation, organização que presta serviços de análise para o Departamento de Defesa norte-americano e para outras agências, existe profunda incerteza na comunidade internacional quanto às intenções globais da China. Ela é grande, assustadora, e a nova variável nas relações internacionais é que está se tornando mais poderosa, mas não se sabe como utilizará seu novo poder, conclui Medeiros. É por esse motivo que este *Relatório da CIA — Como será o mundo em 2020* dá tanta atenção à nação chinesa.

Origens da estratégia de supremacia

A Inglaterra, ao derrotar Napoleão Bonaparte em 1815, tornou-se a nação mais poderosa do mundo e passou a dominar os mares e o comércio. Ainda assim, a Santa Aliança, com o que sobrou dos reinos absolutistas, advogou no Congresso de Viena o princípio da legitimidade, isto é, de que tudo deveria voltar a ser como era antes das revoluções populares e burguesas do fim do século XVIII. Assim, as colônias européias na América deveriam voltar ao seu *status* anterior. O conflito europeu havia favorecido as colônias espanholas e portuguesas; o pacto colonial, soçobrado; o monopólio, quebrado; e amplos mercados haviam sido abertos ao novo liberalismo econômico. A reação, do outro lado, pretendia a restauração do mundo colonial luso-espanhol. Contudo, tratava-se de uma estrada sem volta. Era impossível fazer a história voltar atrás: tanto a Inglaterra quanto as elites coloniais desejavam o livre comércio. Não tinha volta. Era ir em frente ou ir em frente. Não havia mais possibilidade de recuo. Um ministro inglês propôs, no início do século XIX, um pacto com os recém-nascidos EUA contra a intervenção européia no Novo Mundo, o que foi imediatamente aceito, uma vez que se tratava do primeiro passo para uma dominação continental e a utilização da frota inglesa para impedir qualquer outra intervenção no local. O quadro era favorável para uma política externa preponderante para os EUA, e o novo governo aceitou-o imediatamente. A bandeira norte-americana associou-se aos interesses da nova burguesia industrial britânica e às suas necessidades de manter os mercados abertos e livres para a navegação, como a abertura dos portos do Brasil em 1808 e os tratados que consolidaram essa preponderância em 1810.

Na primeira metade do século XIX, o secretário de Estado norte-americano, John Quincy Adams, redigiu uma mensagem ao Congresso que ficou conhecida como Doutrina Monroe, por meio da qual os EUA rotulariam de agressão qualquer intervenção européia na América Latina, não se envolveriam em disputas entre as potências da Europa, e apenas respeitariam as colônias que não haviam proclamado independência, como as Guianas. Esse foi indiscutivelmente o primeiro passo para uma ação externa dos EUA e a elaboração de uma estratégia capaz de reservar o continente como área de influência exclusiva dos norte-americanos.

A Doutrina Monroe sobreviveu durante o século XIX e só no início do século seguinte recebeu um corolário que justificava as intervenções dos EUA na América Latina: sobrepunha-se o princípio da geopolítica e as potências imperialistas européias deveriam se limitar à África, Ásia e Oceania. A América Latina era área de influência exclusiva dos EUA. Ao longo do século XIX, os norte-americanos acreditavam que poderiam anexar todos os territórios que quisessem, fossem ou não contíguos às antigas Treze Colônias. O Destino Manifesto foi a ideologia desenvolvida pela burguesia norte-americana no Nordeste do país, em busca de novos consumidores, e no Sul, em busca de mais terras para expandir as plantações de algodão e de fumo.

O expansionismo ligou os EUA do Atlântico ao Pacífico, e depois anexou parte do território mexicano ao Texas. Os expansionistas, apoiados pelos escravistas ansiosos por novas fazendas e pelos especuladores que ganhavam dinheiro com novos territórios, propagavam que Deus autorizara a Nova República a tomar para si o que quisesse. Comerciantes, missionários, aventureiros de toda espécie, imigrantes e fazendeiros ambicionavam anexações desde o Alasca até o extremo Sul do continente americano. Por pouco a Grã-Bretanha não perdeu o Canadá para a Nova República. A sanha expansionista tomou nova forma no final do século XIX, mas em geral deixou de ser um elemento importante na política externa norte-americana. O Tratado de Guadalupe Hidalgo reconheceu a fronteira do Texas, bem como a cessão do Novo México e da Califórnia. A descoberta de ouro atraiu grande contingente, e muitos chegaram às costas da Califórnia por meio do istmo do Panamá ou de uma longa viagem contornando o Cabo Horn, no sul da América do Sul.

A bandeira do Destino Manifesto, "A América para os americanos", guiava o expansionismo tanto na América do Norte como fora dela. A ideologia da preponderância e hegemonia foi herdada dos ingleses e depois tomou fisionomia própria. Há uma justificativa ideológica, com componentes religiosos, para a missão de organizar primeiro a América, depois o mundo. Essa missão ganhou contornos cada vez mais nítidos ao longo do século XIX, e aos poucos os ideais de livre comércio e democracia foram se tornando cada vez mais insistentes. Essa mesma argumentação é usada hoje para justificar a permanência de forças norte-americanas no Iraque e no Afeganistão. A construção da democracia — entenda-se o liberalismo econômico — tornou-se presente em cada ação que justifique a hegemonia dos EUA e se sobrepõe ao jargão da construção do "mundo livre", como na época da Guerra Fria.

Lançar mão de Deus para justificar determinadas estruturas da sociedade norte-americana é recurso tão antigo quanto a própria escravidão. Veja o que diz Leo Huberman:

> "Vocês não pensam que os erros que cometem contra seus patrões e patroas são erros que cometem contra o próprio Deus, que lhes envia essas pessoas para representá-lo, e que considera as coisas que lhes fazem como se fossem ofensas feitas a Ele... Digo-lhes que os patrões e patroas são capatazes de Deus, e que se vocês cometem faltas contra eles, Deus os punirá severamente no outro mundo...".

É curioso que um conteúdo de forte conotação religiosa tenha sobrevivido até os dias atuais e se chocado com o fundamentalismo islâmico, atual e mais vigoroso opositor ideológico da hegemonia dos EUA. Não se trata mais da luta contra o ateu responsável pela dissolução da sociedade cristã, mas de um embate que se aproxima do mundo metafísico, no qual Deus está a serviço daquele que se apropria melhor de suas argumentações e que tiver melhor competência na sua divulgação.

O mundo islâmico, seja na Europa, na Ásia, no Oriente Médio ou em qualquer outro lugar, manipula melhor esses argumentos. O conteúdo religioso foi substituído pelo argumento político da construção da democracia, que alegra sociedades ocidentais, mas tem pouca repercussão dentro do Islamismo*. A estratégia demonstrada pelo governo norte-americano é não permitir que o embate se cristalize no campo judaico-cristão contra o Islã, em uma retomada cibernética, informatizada e digitalizada das Cruzadas medievais. A clareza da possibilidade de um confronto de civilizações se deu após os ataques às Torres Gêmeas, em 2001, e por isso o presidente Bush visitou mesquitas e recebeu a solidariedade de grupos islâmicos norte-americanos. A resistência à preponderância dos EUA nunca deixou de existir, apenas sofreu mudanças qualitativas ao longo do tempo. Trata-se de um componente que tende a ganhar peso específico cada vez maior até 2020.

* No caso, na concepção de Estado Laico Ocidental uma formação partitária com conteúdo eminentemente religioso. A grupos religiosos correspondem grupos políticos.

A preponderância econômica norte-americana não pode ser dividida em política, economia ou estratégia, uma vez que tudo gira em torno de uma nova etapa do Capitalismo na primeira metade do século XXI, que Manuel Castel chamou de Capitalismo Informacional. A disputa pela hegemonia para garantir mercados vem de um outro período do Capitalismo, no final do século XIX. Foi nesse cenário que os EUA mostraram efetivamente sua cara ao mundo, quando os imperialismos se cristalizavam e se preparavam para embates cada vez mais duros. Para emergir como um *player* nesse contexto, era necessário demarcar áreas de influência, e o poderio militar precisava ter presença na área-alvo, bem como consistência diplomática para praticar o jogo. No início da efetiva ação norte-americana no mundo, os principais territórios neocoloniais já faziam parte das áreas de influência das potências européias. Aos EUA restaram anexar áreas mais próximas e abrir espaço para regiões mais importantes, como o extremo asiático e o Caribe. A penetração na Ásia vinha sendo desenvolvida desde 1853, com a abertura dos portos do Japão e a formulação de uma política de "portas abertas", o que garantiria oportunidades iguais na China. Os EUA abriam espaço para seus negócios dando cotoveladas nas outras potências.

A América Central e o Caribe eram as áreas de influência norte-americana consideradas "naturais", não só por questões históricas, mas pelos investimentos feitos pelos homens de negócios nessa região e pela presença e fabricação de produtos importantes para o mercado dos EUA. Assim se deu a influência sobre Cuba e a apropriação do que sobrava do moribundo império espanhol, com a tomada de Porto Rico, Guam e Filipinas, espalhados pelas áreas consideradas estrategicamente prioritárias. O poderio industrial apoiou o crescimento militar: em 1900, os EUA produziam 40% do ferro de todo o mundo e eram os principais exportadores mundiais de cereais. Para uma preponderância econômica como essa havia a necessidade de uma formulação estratégica. Os investimentos externos derrubaram a tese das fronteiras naturais e os interesses norte-americanos iam até onde estivessem os interesses de suas empresas. Não por acaso, cônsules e embaixadores eram homens de negócios, não de carreira diplomática.

O almirante Mahan e outros estrategistas formularam a política que deveria culminar com a preponderância nas áreas selecionadas e dissuadir intervenções militares de outras potências nessas regiões. Para isso foi necessário convencer o Congresso dos EUA da importância de uma forte e cara Marinha de Guerra, do arsenal da Guerra Fria de bombas nucleares e da militarização do espaço proposta na era Bush. Um volume espantoso de despesas, mas ao mesmo tempo um indutor de novas tecnologias, pesquisas e crescimento econômico, cujo motor atual é o complexo informático-industrial-militar. Sem grandes dispêndios não há preponderância, basta ver os bilhões de dólares necessários para pôr e manter em movimento a máquina de guerra que atua no Iraque.

O poder de polícia que os governos norte-americanos ativaram remonta ao início do século passado, quando Theodore Roosevelt afirmava:

> "Erros crônicos, desordens que resultam em afrouxamento geral dos laços da sociedade civilizada e a falta de pagamento das dívidas forçarão os EUA a exercer seu poder de polícia".

Na primeira metade do século XIX, várias intervenções foram feitas em nome da concretização da preponderância norte-americana no Caribe. Só na intervenção do Haiti de 2006, EUA e ONU outorgaram ao Brasil (que enviou força de paz em 10 de março de 2005) e a outros países o poder de polícia interna, a fim de tentar restabelecer a ordem e a democracia locais. O Brasil aceitou sua missão, uma vez que desde o governo de Fernando Henrique Cardoso deseja uma vaga como membro permanente do Conselho de Segurança das Nações Unidas. Essa participação poderia ser o caminho para isso. O eixo do planejamento estratégico dos EUA passou a pender para a Europa, e a América Latina e o Caribe ficaram relegados ao que o secretário de Estado, John Knox, chamou de "diplomacia do dólar".

A evolução da crise do Imperialismo, a eclosão da Primeira Guerra Mundial, as ideologias extremistas e as convulsões que se seguiram condicionaram a mudança definitiva das ações de preponderância sobre a Europa e a Ásia, de onde provinham outros poderes concorrentes. A América Latina já era considerada área de domínio estratégico consolidado, portanto, era preciso apenas preservá-la. A preocupação com o mundo de 2020 segue o mesmo esquema — apenas vislumbrar no horizonte as ameaças que podem vir da China e da Índia. Os formuladores dessa antevisão sabem como tratar a incógnita chinesa, pelo menos no que diz respeito ao cuidado que deve ser dispensado a ela. O embate se faz em contexto mundial e o espaço de disputa é todo o planeta, em todas as suas dimensões, não só territoriais, mas também econômicas, políticas, sociais, culturais e ideológicas. Há uma nova formulação no âmbito do Capitalismo Informacional, no qual a competição é cada vez mais acirrada. O cenário no início do século XXI é de aceleração do processo histórico como nunca se viu antes, e uma vez destravadas as forças das mudanças, não se sabe onde, quando e se vão diminuir ou parar. Avistar 2020 e descrevê-lo é um processo tão rápido quanto pilotar um carro de Fórmula 1 em um circuito novo, cheio de curvas e surpresas para os experientes pilotos.

Há uma questão estrutural que permeia a política externa norte-americana e que se confunde com a própria cultura ocidental, ou seja, a imposição de valores. Historicamente, isso remonta à "missão civilizadora do homem branco" e hoje assume a coloração de imposição da democracia. Ainda que se trate de valor importante — e seria ideal se todos os governos do planeta fossem democráticos —, há séria resistência, por exemplo, em países islâmicos, o que alimenta sua aversão ao modo ocidental e leva às atitudes radicais do fundamentalismo religioso. Existe uma séria ameaça de que a continuidade dessa política possa gerar um choque de civilizações, no qual a expressão mais violenta é o terrorismo. Acusações como a de Condoleezza Rice, de que o Irã é o banco central do terrorismo, fornecem mais munição para os líderes radicais, ainda que acalmem os setores mais conservadores da sociedade norte-americana.

O fim de uma era

O fim da era da Guerra Fria, do confronto entre o Ocidente e o Oriente, moldou o novo planejamento estratégico dos EUA. O fim das alianças sedimentadas em 1949 caiu com o Muro de Berlim, e o mesmo fenômeno ocorreu com as ideologias de esquerda, abaladas com o novo Capitalismo Informacional que se desenhou a partir de 1970 e se consolidou na primeira década do século XXI. O fim da União Soviética e de seus satélites deixou a esquerda socialista sem um modelo concreto, ainda que passível de críticas por pensadores marxistas. Os exageros interpretativos logo ganharam divulgação mundial, estabelecendo a era do pensamento único e o fim da história. Ou o fim da luta de classes, da acumulação sobre a *mais-valia*, da expropriação dos meios de produção e da ascensão do proletariado ao poder através de processos revolucionários, como queriam outros. Todavia, toda a economia norte-americana voltada para sustentar a Guerra Fria não poderia ser mudada de uma hora para outra. O imenso complexo industrial-militar, acalentado pelo temor de um conflito termonuclear, precisava ser acomodado na nova economia e nessa nova etapa do sistema capitalista mundial. O discurso de 2006 de Bush chama atenção para o fenômeno do envelhecimento da população, o mesmo que ocorre na Europa e no Japão e nas classes privilegiadas das nações emergentes. Diminuir o número de filhos não é suficiente em um mundo onde se vive cada vez mais — no Japão, mais de 20 mil pessoas têm mais de cem anos de idade. Bush ainda vive o dilema entre o orçamento destinado à educação, à assistência médica e à previdência social e o orçamento direcionado às Forças Armadas, responsáveis pela imposição da paz norte-americana.

O fim da Guerra Fria não desatrela o ideal dos EUA de continuar como *gendarme* mundial. O espírito das Cruzadas toma um novo sentido no pós-Guerra Fria. O alvo é o terror, e ele é islâmico no pensamento dos formuladores da estratégia dos EUA, ainda que não expresso verbalmente pelas autoridades governamentais. Woodrow Wilson capitaneou a cruzada contra a barbárie representada pelo imperador Guilherme II; Franklin D. Roosevelt, contra os horrores do III Reich; e Harry Truman, contra a ameaça comunista dentro e fora dos EUA. Não terminou aí. As direitas radicais de 1962 reconheciam como um dos seus objetivos uma cruzada norte-americana que dominasse e conquistasse o mundo antes que os EUA fossem destruídos pelo barbarismo dos soviéticos. É a volta do bom e velho chauvinismo, do atacar para se defender, ou do armar para manter a paz, tão bem retratado por Stanley Kubrick no filme *Doutor Fantástico*. Neste início de século, não é mais tão acintoso o clima de paz armada, como era nos períodos que antecederam as duas guerras mundiais e também a Guerra Fria. Há quem afirme que a Guerra Fria começou em 2 de abril de 1945, poucos dias depois da morte de Roosevelt e da chegada ao poder dos conservadores, liderados por Harry Truman.

O orgulho patriótico norte-americano foi seriamente atingido pelos ataques de 11 de setembro de 2001. No dizer de um senador democrata: "Nem Pearl Harbor foi tão devastador". O nacionalismo estava longe daquele que uniu o público em geral, os estadistas e os militares em atitude de orgulho patriótico e admiração quando do lançamento da bomba atômica sobre Hiroshima, em 1945. Já em 1932, Albert Einstein dizia:

> "Só há um raio de esperança. Creio que hoje os líderes responsáveis de vários povos têm, de modo geral, a vontade honesta de abolir a guerra. A oposição a esse indubitável e necessário avanço deve-se às infelizes tra-

dições do povo, transmitidas como uma doença hereditária de geração em geração. Por culpa de nossa defeituosa organização educativa, os principais alicerces dessa tradição, claro, são a formação militar e sua glorificação, e não menos importante, a imprensa, que tanto depende dos militares e das maiores indústrias. Sem o desarmamento, nunca poderá haver paz duradoura. Pelo contrário, a continuação da fabricação de armamentos militares, no ritmo atual, só conduzirá a novas catástrofes".

Einstein afirmava que a paz armada não seria, como não foi, suficiente para impedir a tragédia que começou em 1939. Ele mesmo colaborou com o Projeto Manhattan e assinou a carta de apoio para que a bomba atômica fosse usada contra o Japão. Contudo, depois de reconhecer o erro e a devastação do ataque nuclear, chegou a afirmar que uma quarta guerra mundial seria travada com arcos e flechas. O poder atômico acumulado hoje põe em risco toda a humanidade, assim como o efeito estufa. Todavia, o planejamento estratégico prevê o fortalecimento de forças militares convencionais capazes de atuar em qualquer ponto do planeta. A tecnologia a serviço da causa torna isso cada vez mais eficiente, com novas armas e produtos constantemente renovados, provenientes do complexo industrial-militar. O domínio da tecnologia militar impõe restrições à venda de armas não só a empresas dos EUA, mas a qualquer outra parte do mundo que use patentes de grupos norte-americanos estrategicamente importantes. A recente proibição de venda de aviões *Tucanos* pela brasileira Embraer para a Venezuela de Hugo Chávez é um exemplo. A previsão feita para 2020, de rapidez de deslocamento e ações pontuais, tem como exemplo o fracasso, até agora, na captura dos líderes da organização terrorista Al Qaeda, bem como de seu líder, Osama bin Laden. Muito mais grupos vão agir daqui a 15 anos, segundo o relatório.

A paz norte-americana se impõe ao mundo por si só e qualquer potência internacional não consegue fazer frente ao poderio militar dos EUA, confrontado na sua totalidade.

Só os grupos guerrilheiros são capazes, por sua organização celular, de viver nas entranhas dos tecidos da maior potência do mundo. É obviamente a contradição própria da história e do desenvolvimento da sociedade humana. Fred J. Cook diz, em *O Estado militarista*, que em 1956, no Congresso do Partido Comunista da União Soviética, o então primeiro-ministro russo, Nikita Kruschev, declarou:

> "O princípio da coexistência pacífica ganha cada vez mais aceitação internacional. E isso é lógico, pois não há outra saída para a situação atual. Na realidade, só existem duas soluções: a coexistência pacífica ou, então, a mais devastadora guerra da História. Não há uma terceira alternativa... Não há qualquer inevitabilidade fatal na guerra". Vidas humanas não contavam.

De outro lado, o general Douglas MacArthur dizia, em uma sessão do Congresso da República das Filipinas:

> "A grande incógnita é: poderá a guerra global ser abolida em todo o mundo? Se isso for possível, teremos o maior progresso da civilização desde o Sermão da Montanha. Afastaríamos, nesse caso, de uma vez por todas, a sombra que tem escurecido a humanidade desde o seu início. As centenas de bilhões de dólares agora gastos nos preparativos militares de ambos os lados poderiam abolir a pobreza da face da Terra".

Somente Herman Kahn poderia dizer, em *O ano 2000*, escrito no final da década de 1960, que: "A guerra nuclear, por mais horrível, seria tão suportável que a sociedade americana conseguiria, em dez anos, regressar ao estado de antes da guerra".

O inimigo ideológico não tem mais a mesma face nem é combatido com armas nucleares, como nos tempos da Guerra Fria, mas a opinião pública mundial já não é mais a mesma desde o conflito no Vietnã. O impacto da chegada dos soldados mortos à sala de jantar da família norte-americana não mais existe, ainda que uma ou outra vez isso seja desmentido pelas baixas ocorridas durante a guerra no Iraque. "Mas é por uma boa causa", diz Bush. Ao mesmo tempo em que afirma estar construindo um governo democrático iraquiano, impede que o terrorismo ameace os EUA e que uma coalizão islâmica se aglutine para pressionar Israel e os interesses petrolíferos dos EUA na área.

Na América Latina, é mais fácil identificar etapas da política externa norte-americana associada à liderança continental, enumeradas pelo sociólogo brasileiro Otavio Ianni: monroísmo, pan-americanismo, não-intervencionismo, boa vizinhança, aliança para o progresso, segurança hemisférica, solidariedade interamericana, associação madura, presença discreta, negligência benigna, e assim por diante. Ianni diz que a diplomacia total é a parte preeminente do tipo de supremacia que os EUA exercem no continente e no âmbito do Capitalismo mundial. A supremacia norte-americana não se limita às relações econômicas, políticas e militares. Ela vai além, compreendendo também problemas socioculturais, materializados na missão civilizadora que justifica suas ações.

A nova identidade mundial

O mundo de 2020 assistirá ao nascimento de novas potências no acordo internacional das nações, e é inevitável que as potências tradicionais terão de atrair espaços para si. Afinal, com a globalização e a internacionalização cada vez mais aceleradas, os interesses dos grupos transnacionais serão cada vez mais difusos. Os conglomerados, que no passado concentravam certos setores estratégicos e de alta tecnologia, estenderam-se para outros setores, como alimentação, vestuário e entretenimento. As marcas se globalizaram, são familiares em todo o mundo, e irão se "mundializar" cada vez mais. O que estava até pouco tempo confinado aos *free shops* dos aeroportos agora está nos supermercados — e em 15 anos estará em todas as prateleiras dos botequins de todo o mundo. Há quem diga que no novo Capitalismo a cédula de identidade será substituída pelo cartão de crédito. Assim, com uma nova divisão internacional de trabalho, os elementos constitutivos de atritos e guerras entre países praticamente desaparecem, e por isso um conflito entre potências fica praticamente fora de cogitação. As disputas serão arbitradas cada vez mais em fóruns como o da Organização Mundial do Comércio (OMC), e as regras serão definidas de tal forma que países pobres e emergentes terão vantagens impensáveis no mundo da Guerra Fria. Os formuladores dessas políticas consensuais serão obrigados a impor sanções mesmo contra as grandes potências econômicas.

O século XX, ou o século norte-americano, sucumbirá, e em seu lugar nascerá o século das transferências do capital e do conhecimento. Cada vez mais fica evidente que haverá um aprofundamento da quebra do paradigma das comunicações, e, por conseguinte, do conhecimento. As fórmulas futuras de Internet, que será o maior canal de transmissão do conhecimento digitalizado, devem provocar, por um lado, a democratização da informação e o aprofundamento da disputa entre poucos emissores e muitos receptores, e por outro, entre muitos emissores e receptores, situação em que todos interagem com todos. A sociedade em rede será representada por uma grande mandala, na qual todos os pontos recebem e emitem informações, simultaneamente ou não. Os desdobramentos e a incapacidade de detectar os emissores abrem amplos espaços para ações terroristas de organizações de todos os matizes. Os grupos terroristas estarão na mídia em 2020 muito mais do que estiveram em 2006, e as nações tentarão montar suas próprias redes de notícias, como se procura fazer na América do Sul por iniciativa direta do presidente da Venezuela, Hugo Chávez, com o apoio de Nestor Kischner, presidente da Argentina, e Luiz Inácio Lula da Silva, do Brasil. A idéia de cada um ter a sua própria "CNN", que nasceu no mundo árabe com a Al Jazhira e a Al Arabia, tende a se estruturar em outras partes do planeta, ainda que investimentos e custeio sejam altos.

O relatório da CIA dá pouca importância à América do Sul. Há na política externa norte-americana uma ampla separação do restante do continente latino, e não se trata mais apenas de cuidar dos países "ao sul do Rio Grande". O México está cada vez mais integrado à economia da América do Norte e há um estreitamento com o Caribe e a América Central. A formação de um bloco na América do Sul e a liderança popular e política de Hugo Chávez, dentro e fora da Venezuela, exigirão esforços especiais dos EUA e do próprio Chávez para contrabalançar o crescimento do Brasil, cada vez mais aberto aos investimentos internacionais e com a economia mais integrada ao Capitalismo global. A resistência a privatizações, uma das pedras de toque da esquerda brasileira e do Partido dos Trabalhadores (PT), praticamente desapareceu, e a tendência até 2020, com ou sem o PT no governo, é de que a privatização de estradas e do setor de infra-estrutura se aprofunde. O Estado investidor encolhe cada vez mais e é lembrado apenas em determinadas épocas da história do Brasil como indutor do crescimento e guardião das riquezas naturais estratégicas.

Em 2020, o distanciamento entre economia e política no Brasil também se aprofundará, não só por causa do retraimento do Estado, mas também por conta do desenvolvimento de atividades cada vez mais ligadas aos setores privados. O empreendedorismo passou a ser uma opção para a mudança das estruturas econômicas, uma alternativa para o desemprego estrutural e conjuntural. Surpreende o relatório da CIA dar tão pouca importância ao Brasil e superdimensionar a Índia e a China, as duas novas potências citadas inúmeras vezes. É verdade que o relatório é uma fotografia do futuro e, à medida que as mudanças ocorrerem, suas constatações podem tanto ser consolidadas quanto modificadas.

O Islamismo vai emergir cada vez mais como uma reação à repressão, à corrupção e à ineficiência governamentais, o que significa que a democracia vai avançar muito pouco diante do Estado teocrático em expansão. A vitória do Hamas na Palestina em 2006 é uma prova de que não basta injetar dinheiro nos governos simpatizantes das causas ocidentais. Não deu certo no Vietnã, no Laos e no Camboja na década de 1960, e não dará certo agora no Oriente Médio. A ideologia deixa seus contornos políticos e volta ao campo religioso. Há uma retomada do Corão ao pé da letra, a ponto de uma dezena de caricaturas de Maomé serem motivo de reações populares estimuladas por religiosos radicais, com o incentivo ou a complacência dos governos de países islâmicos. O discurso de Bush foi pífio ao antever a liberação do petróleo como fonte de energia, uma vez que o próprio relatório da CIA classifica esse abastecimento como cada vez mais precário — e os analistas avaliam que os preços nunca mais retornarão aos seus patamares históricos. As ameaças vão além do que Bush classifica como Eixo do Mal — Iraque, Irã e Coréia do Norte. A escolha de um líder popular radical islâmico no Irã faz com que até as facções religiosas percam o controle sobre ele.

Os governos e organismos internacionais perdem, pouco a pouco, o controle sobre os centros privados de pesquisa científica. A clonagem e os avanços da Biotecnologia podem surpreender o mundo a qualquer momento, saltando da ficção científica para a realidade em qualquer edição da CNN.

Não é confortável para as contas norte-americanas bancar a posição de superpotência. Ao lado de um déficit comercial de cerca de 0,5 trilhão de dólares, os EUA gastarão outro 0,5 trilhão com defesa nos anos fiscais de 2006 e 2007. Essa soma é muito maior que os orçamentos de defesa combinados dos aliados e de seus potenciais inimigos — em outras palavras, equivale aos gastos com defesa de todos os outros países do mundo. Quem chega mais perto é a China, com 50 bilhões de dólares, e o Reino Unido, com 47 bilhões. O departamento de contabilidade do governo diz que "os EUA gastam várias vezes mais com os militares do que qualquer adversário imaginável, e com seus aliados representam mais de 2/3 dos gastos totais de defesa no mundo". Segundo o Instituto de Pesquisa para a Paz Internacional, sediado em Estocolmo, os gastos norte-americanos cresceram mais de 41% entre 1999 e 2004 — a maior parte depois dos atentados terroristas de 11 de setembro de 2001. Esses gastos equivalem a 3,7% do PIB dos EUA, ou o dobro do que se gasta em publicidade, e é considerado pelo atual governo Bush muito barato, uma vez que nos governos Eisenhower e Kennedy os gastos com armas consumiam 10% do PIB. Hoje, o orçamento militar norte-americano gira em torno dos 300 bilhões de dólares*. As lideranças dos EUA usam o termo "longa guerra" quando se referem ao combate ao terrorismo, como indica o relatório da CIA. As forças militares dos EUA não têm rival no planeta, uma vez que possuem os 12 maiores porta-aviões do mundo, a única frota de aviões invisíveis, bombardeiros de longo alcance e mísseis de precisão capazes de atacar qualquer parte do globo. Possuem também uma maciça Força Aérea de carga que pode transportar tropas para o mundo todo em curto prazo, armamentos pré-posicionados ao redor do planeta para quando as forças norte-americanas deles necessitarem, e, é claro, um mortífero arsenal de bombas nucleares. Tudo isso está sendo usado para combater "uns 20 mil bandidos", termo utilizado pelos norte-americanos para qualificar os insurgentes iraquianos. Os gastos com novos navios, jatos, mísseis e outros armamentos são voltados para a ameaça que os políticos norte-americanos não ousam nomear: China. Afinal, o relatório da CIA coloca a questão: Esses gastos fantásticos são destinados ao combate ao terrorismo ou à China?

A política norte-americana ora mostra todo o seu poderio militar para deixar bem claro quem tem a hegemonia mundial, ora acena com o esforço de implantar modelos democráticos em áreas conturbadas. Objetivando estabilizar o futuro do Irã e proceder à retirada das tropas da região, em 2006 a secretária de Estado dos EUA, Condoleezza

* No ano de 2007 quer gastar 439 bilhões.

Rice, pediu ao Senado 75 milhões de dólares para promover a democracia no país, e justificou seu pedido ao dizer que o dinheiro seria usado "para apoiar as aspirações democráticas da população iraniana". Se essa frase fosse dita em 1970, caberia direitinho no Chile de Salvador Allende. Rice continuou, segundo o *The New York Times*: "Ninguém quer ver o Oriente Médio dominado pela hegemonia iraniana, especialmente quando eles têm acesso à tecnologia nuclear. O Irã é o nosso desafio estratégico maior". Com essa verba, Rice garante que consegue aumentar as transmissões de rádio, iniciar a transmissão de TV via satélite, aumentar o número de bolsistas iranianos nos EUA, entre outras iniciativas. A ação da política externa norte-americana classifica o atual regime do Irã como hostil, mas sabe que qualquer tentativa mais dura contra a teocracia iraniana pode resultar em bloqueio da exportação de petróleo, um dos calcanhares-de-aquiles do Tio Sam, reconhecido pelo relatório da CIA.

Novamente, o petróleo surge como ator estratégico até 2020. A incógnita é se será possível instituir regimes democráticos no Oriente Médio como forma de estabilizar a região, uma vez que há confusão entre religião e política, entre Igreja e Estado. Isso não se transforma com ações de política externa em tão pouco tempo. O mundo islâmico ainda não se preparou para a visão ocidental, que tem como base a distinção entre a Igreja e o Estado. Quando essa população entenderá que nem o Estado pode impor a religião, nem a Igreja pode pretender que o Estado faça o que é de seu exclusivo interesse? Como desmontar esse dado essencial do Islamismo? Trata-se de um desafio, para a diplomacia norte-americana, maior do que teve outrora para solapar as bases de sustentação do império soviético. É preciso considerar que a política desaparece quando é subordinada a uma ética da convicção do tipo único, como ensina Max Weber.

Os desafios estão colocados para a consolidação da hegemonia dos EUA até 2020. É preciso considerar que o relatório é um retrato pintado de uma antevisão, que pode não mudar com a rapidez de um filme de ação — mas acaba mudando. O retrato sofrerá correções contínuas, dependendo das modificações conjunturais e até mesmo estruturais que acontecerão nesse período, mas o que fica claro com o *Relatório da CIA — Como será o mundo em 2020* e a ação da política externa norte-americana é que existe um norte, e que os EUA se empenham ao máximo, com todas as suas competências, para alcançar seus objetivos, estejam de acordo os demais povos do mundo ou não. A concepção darwinista é muito forte na sociedade norte-americana, pois ela acredita que o mundo tem de ficar nas mãos dos mais qualificados e dotados por Deus para exercer essa liderança. Hegemonia não se faz com fraqueza, e poder é o que não falta para os EUA, gostem os demais povos ou não.

Introdução à edição francesa

por ALEXANDRE ADLER

Rumo a uma globalização mais infeliz

É aconselhável não acreditar cegamente em Michael Moore: a atual classe dirigente dos EUA não é composta por estúpidos analfabetos, incapazes de captar as complexidades do mundo, cativos de seus próprios pré-juízos históricos, da Guerra de Secessão à Guerra Fria, passando pela recusa da teoria darwinista sobre a evolução das espécies.

Este texto denso, articulado e sutil que leremos chega até nós diretamente do Conselho Nacional de Inteligência dos EUA, o National Intelligence Council (designado aqui simplesmente como NIC). Ou seja, provém de um órgão de pesquisa e formulação estratégica, formado em sua maioria essencialmente por diplomatas, especialistas da informação oriundos da CIA e militares. Seu objetivo é facilitar a chegada a conclusões e promover pesquisas fundamentais em matéria de informação. O trabalho do NIC não se baseia em perspectivas nem em operações a curto prazo, mas em um panorama de longo alcance e na difusão de análises consensuais, principalmente no seio da CIA. Baseia-se também nas mais altas esferas do executivo (ou seja, na presidência), nos principais ministérios e no Departamento de Estado norte-americano, que possui seus próprios organismos de pesquisa e avaliação.

Contudo, é raro que um organismo, inserido no trabalho prático do Estado federal, se dedique — como veremos — a um exame profundo das grandes tendências do mundo de amanhã. Conseqüentemente, o exercício ao qual assistiremos ao longo das páginas que se seguem reveste-se de uma importância absolutamente excepcional.

Não é de hoje que os EUA se esforçam em compreender o mundo. Afinal, jamais deixaram de pensar sobre o tempo. Não o tempo elegíaco e melancólico, que compõe a textura da memória européia, mas outro, fecundo e passível de ser conhecido que pontua a ambição, de modo algum posta em causa, de construir o futuro, dominá-lo, e de realizar todas as potencialidades de uma sociedade ainda jovem.

Assim, a formulação do pan-americanismo pelo quinto presidente dos EUA, James Monroe (1817-1825), na seqüência das guerras napoleônicas e no início da emancipação das colônias espanholas, pode ser lido, sem dúvida nenhuma, como um texto adaptado às circunstâncias, de encomenda para a situação ("a América para os americanos"). No entanto, há na Doutrina Monroe uma projeção e uma superioridade que não encontramos, com o mesmo grau de abstração construtiva, entre os contemporâneos europeus, cujo saber e experiência diplomáticos continuavam, apesar disso, sendo então incomparáveis. Já em 1820, os EUA anunciavam a situação de 1900, na qual se afirmavam suficientemente fortes, em terra e no mar, para impedir que as potências estrangeiras se imiscuíssem nos assuntos do Novo Continente. Ora, em 1820, apesar da excelência de sua Marinha de Guerra, os EUA não possuíam nenhum meio militar, mesmo que indireto, que pudesse fazer prevalecer sua vontade até o istmo do Panamá. Isso para não falarmos da longínqua Terra do Fogo, bem mais importante na época do que o é atualmente, dada a inexistência de qualquer canal centro-americano.

Com justiça, repreende-se o idealismo por vezes ingênuo do presidente Woodrow Wilson (1913-1921) e o isolacionismo comercial da "América profunda", em oposição ao seu projeto de Sociedade das Nações. Tal combinação levou à paralisia aparente da diplomacia norte-americana após 1918. Depois de ter complicado a vida dos aliados europeus, a América simplesmente os abandonou, sem maiores explicações. Há uma relativa dose de verdade nesse refrão, agravado na França pelas críticas maurrasianas* à moda de Gaxotte#, cujo ódio estúpido à Alemanha e a ligeireza das concepções geopolíticas eram na realidade ainda piores que a apatia constatada no final da presidência Wilson nos EUA.

Todavia, a partir de então, a classe dirigente norte-americana manifestaria — com uma falta de habilidade que revelava o neófito — uma lucidez superior à de seus aliados europeus, apesar de um sistema político mal adaptado ao seu novo papel mundial. Enquanto a França mergulhava em uma política de dupla hostilidade contra a Alemanha de Weimar e contra a Rússia soviética, política incompatível com seus reduzidos meios, a Inglaterra, ao contrário, só se preocupava em se distanciar e encorajar discretamente o nacionalismo alemão contra a França. A Inglaterra agravou ainda mais a situação ao incentivar a política predadora da nova potência japonesa na Ásia, jogando assim todo bom patriota chinês nos braços do comunismo soviético, o único a defender, então, a integridade da China.

Notar-se-ia, a partir daquele momento, que o jovem aluno norte-americano apostava, então, em uma reconciliação durável entre as duas principais potências da Europa continental: França e Alemanha. Os planos Dawes e Young‡ levaram mais tarde a um mecanismo

* N. da T.: Charles Maurras, jornalista e ensaísta, nascido em 1868 na França, foi o fundador e dirigente de um jornal nacionalista, germanófobo, monarquista e extremamente virulento, o *Action Française*.

\# N. da T.: Nascido em 1895, Pierre Gaxotte, historiador e jornalista francês, foi durante algum tempo secretário de Maurras. De direita em termos políticos, em sua obra defendia uma visão tradicionalista e clássica da História.

‡N. da T.: Planos para o pagamento das dívidas da Alemanha após a Primeira Guerra Mundial.

circular de pagamento de compensações financeiras alemãs, facilitado por importantes investimentos do ultramar Atlântico na Europa central, que dinamizariam o crescimento alemão, e pelo pagamento da dívida francesa com os EUA, por meio de contribuições do além-Reno.

Antes, durante a Conferência Naval de Washington, em 1922, os EUA haviam conseguido reunir a mais ampla coalizão para que o Japão cedesse e para conter sua expansão regional, chegando até mesmo a relevar seu veemente anticomunismo, a fim de restabelecer a Rússia em Vladivostok, no Oceano Pacífico. Decididamente, os EUA daqueles tempos longínquos não se pareciam em nada com esse gigante apático que, como o Orion cego do pintor francês Nicolas Poussin, avançava sem avistar o horizonte, enquanto a pequena personagem encarrapitada sobre seus ombros orientava e dirigia sua caminhada sem que ele soubesse. Conhecemos a teoria do "gênio maligno", típica da estratégia norte-americana, que nega toda e qualquer autonomia ao pensamento de além-mar. Segundo essa teoria, não teria havido senão a instrumentalização do pobre gigante norte-americano pelos meios financeiros britânicos, dos quais Wall Street seria uma agência de interior, segundo os nacionalistas alemães dos anos 1920. Além da outra instrumentalização, de autoria dos inúmeros simpatizantes soviético-comunistas, que teriam sabido seduzir os ingênuos que cercavam Franklin Roosevelt nos anos 1930.

É verdade que os EUA da década de 1930 não tiveram coragem nem espírito para se submeter às suas justificadas e precisas intuições do período 1915-1925 que os EUA de 1950 e 1960 praticamente esqueceram — o princípio do *containment* (detenção, contenção) do poderio soviético em benefício de concepções supostamente mais dinâmicas e mais ideológicas que levaram diretamente à armadilha vietnamita — e que os EUA atuais dão as costas, de tempos em tempos, bem como à necessidade de construir e manter vasta coalizão antiterrorista, envolvendo-se em polêmicas inúteis com a China, a Rússia ou a França. No entanto, todas essas forças históricas de atrito não impedem a constatação de uma lucidez essencial da diplomacia norte-americana em dois séculos de funcionamento.

"E pur si muove." E, no entanto, ela gira.

Uma das possíveis razões para esse sucesso paradoxal relaciona-se ao aproveitamento maciço de universitários muito competentes. Dois excelentes exemplos são Henry Kissinger, oriundo de Harvard, e Condoleezza Rice, vinda de Stanford. Universitários, portanto, e não altos funcionários demasiadamente ligados por um espírito corporativista e naturalmente conservador. Mas eu também acredito que é preciso ir mais longe e invocar a distância puritana do Novo Mundo, que constitui a sabedoria dos EUA, sabedoria essa — somada ao legado acumulado durante dois séculos — que provém das revoluções democráticas européias, a maioria das quais terminou sua corrida justamente no outro lado do oceano: a revolução democrática dos Países Baixos nos séculos XVI e XVII, que introduziu a liberdade de credo e a recusa da Inquisição, bem como dos galeões espanhóis; a revolução calvinista da Inglaterra de Cromwell, cuja desconfiança inata do poder soberano emergiu novamente durante a guerra de independência, com a doutrina do presidente norte-americano Thomas Jefferson (1801-1809); a revolução democrática abortada, na Alemanha renana de 1849, e que se exilou no coração da região centro-oeste, mais precisamente em Chicago, reinventando nessa cidade a democracia industrial moderna; a revolução mais uma vez malsucedida da Alemanha de Weimar, que expulsou para o Novo Continente a sociologia de Max Weber, a psicanálise de Freud e não só as idéias como também a pessoa de Albert Einstein, com as conseqüências estratégicas que conhecemos.

Eis porque devemos examinar sem paixão nem preconceitos essa "cartografia do futuro" que o NIC nos apresenta a título de exercício, por vezes lúdico. Trata-se, apesar das simulações formais, de uma reflexão global sobre os próximos 14 anos*. Não há estudo equivalente na Europa, atualmente.

Passemos de imediato ao essencial: o método dos cenários alternativos, que manifesta de modo evidente um inconveniente significativo: o de caricaturar, ao expulsar determinadas objeções evidentes, uma realidade complexa para fazê-la caber em um esquema demasiadamente restritivo. Mas esse método tem, ao mesmo tempo, a vantagem de demonstrar, como no caso de um motor, as engrenagens e mecanismos do raciocínio principal. Ao imaginar as conseqüências extremas dos quatro principais cenários levados em consideração nesta obra (***Pax* Americana, Mundo de Davos, Novo Califado** e **Ciclo do Medo**), ele nos faz captar os elementos singulares desses dados, que, destacados de sua estrutura inicial, constituirão a trama do relatório final ao qual os autores se hipotecaram. Dentro de seu aparente extremismo, os quatro cenários não passam de estufas nas quais permitimos que brotem alguns conceitos fundamentais, que na fase final serão replantados no cerne de um modelo que pretenderemos, sempre, mais próximo da realidade. A empreitada vale a pena.

O relatório também tem um certo tempero... Os primeiros cenários oferecem, na verdade, a caricatura exagerada das estratégias originais de George W. Bush (***Pax* Americana**) e de Bill Clinton (**Mundo de Davos**). O terceiro cenário (**Novo Califado**) nos faz penetrar no cérebro fecundo, mas doentio, de Bin Laden (Usama bin Ladin ou Osama ben Laden ou Ussama ben Laden), e o quarto (**Ciclo do Medo**) é uma espécie de resposta em forma de fábula às concepções francesas acerca da multipolaridade, tão caras a Hubert Védrine (ex-ministro socialista) quanto a Dominique de Villepin (atual primeiro-ministro). Mesmo se mantivermos uma postura crítica em relação ao caráter aparente dessa retórica, que possui um liame com a invasão do

* Na época da publicação do original em inglês, eram 15 anos.

computador em nossas vidas, em um primeiro momento propomos que nos submetamos a ela, ainda que apenas para melhor compreender aonde nossos autores pretendem nos levar.

Assumamos, portanto, como em matemática, as duas posições-limite (máxima e mínima, ou *extrema*), que nos permitirão analisar melhor o mundo do cenário intermediário no qual, ao fim e ao cabo, temos todas as chances de vir a nos encontrar.

Cenário mais favorável ou extremo máximo: ***Pax* Americana.** Nós a compreendemos melhor porque de certo modo acabamos de vivenciá-la. Seu desdobramento completou-se em 11 de setembro de 2001. Desde a falência do projeto de Gorbatchev — democratização sem ruptura do império soviético — os EUA reinavam sozinhos em todos os domínios — econômico, tecnológico, financeiro e militar (só a cultura continuou sendo um ponto fraco, apesar e em função de Hollywood), enquanto os outros pólos de poder que haviam sofrido perturbações desde o final da década de 1980 recolhiam-se sobre si mesmos, sobrecarregados pela amplidão de seus problemas internos. A crise alemã, combinada a critérios de convergência econômica extremamente rigorosos para a instauração de uma moeda única, arrastava toda a Europa para uma prostração deflacionista na qual mesmo a vitória final da adoção do euro por uma dúzia de Estados europeus não fora suficiente para relançar a máquina do crescimento econômico. A Inglaterra, em parte seguida pelos países nórdicos, aproveitava para recuperar seu lugar no meio do Atlântico e prosseguir em seu crescimento, independentemente de seus associados europeus.

A nova Rússia continuava frágil demais e seus vizinhos divididos demais, belicosos demais para reconstituir uma base territorial estável que pudesse ser o fundamento da renovação de seu poder. Enquanto seu potencial militar se liquefazia, a guerra de secessão iugoslava entre croatas, ortodoxos sérvios e muçulmanos bósnios acentuava com vigor o isolamento de Moscou. Em particular, as duas potências emergentes fronteiriças (a Polônia católica e a Turquia muçulmana), indispensáveis para o retorno da Rússia à cena mundial, rapidamente tornaram-se as aliadas regionais com as quais os EUA mais podiam contar. Como conseqüência, uma Ucrânia filo-polonesa e um Azerbaijão "turquificado", unidos ao irredentismo da Geórgia, levavam a contradição para o seio da União Soviética histórica. Mais grave ainda: dois abcessos de fixação intensamente russófobos, um pacífico mas dissimulado, na Letônia e na Estônia, e outro sangrento, no Cáucaso do Norte, completavam ainda por alguns anos o quadro da imobilização do grande corpo enfermo da santa Rússia.

Se a China se recuperara rapidamente dos distúrbios da Praça da Paz Celestial graças à estratégia de supercrescimento que Deng Xiao Ping reivindicou com orgulho, perante seus opositores comunistas tradicionalistas, o país ainda não era um rival dos EUA, além do que havia esperado demais, na extensão ilimitada de suas fatias de mercado na América do Norte, para poder garantir a retomada de uma nova Guerra Fria, da qual seria um dos pilares essenciais.

Além disso, mesmo um Japão desiludido [que havia voltado a ter um crescimento muito lento, mas que era 10 vezes mais rico em PIB (super-estimado) que a República Popular da China em 1998] e uma Índia [que acabara de iniciar sua ascensão em direção ao poderio administrativo, com o sucesso tecnológico do programa nuclear], não podiam se voltar senão na direção dos EUA, a fim de compensar a subida geo-estratégica da China, que cortejava uma Rússia nacionalista e antijaponesa, e um Paquistão semi-islâmico e antiindiano. A afirmação do dinamismo democrático de Taiwan representava uma promessa para o próprio futuro do regime de Pequim. Este poderia atingir seus objetivos de poder se evoluísse mansamente na direção da liberdade, em princípio econômica, em seguida política, reduzindo pouco a pouco a grande ilha capitalista. Em uma reviravolta espetacular, a antiga fortaleza insular anticomunista da Guerra Fria transformou-se em fator de crescimento naturalmente pró-americano, com evolução da China.

Na América Latina como no Oriente Médio, minimamente diferente da África, importantes forças de desestabilização continuavam a agir, mas nenhuma estava em posição de infringir aos EUA mais que alguns poucos arranhões. Os exemplos do México — cuja economia integrava-se cada vez mais à dos EUA, no âmbito do Nafta — e da Turquia — em processo de forte crescimento, sustentada com empenho por Washington em sua candidatura européia — faziam com que se pensasse no Brasil e no Irã, países outrora tentados pela rivalidade global contra a potência norte-americana.

Foram os bons tempos dos anos de 1990, quando dirigentes de inspiração neoliberal — como o grande Fernando Henrique Cardoso, no Brasil; o sutil Kemal Dervis, à frente da economia turca; o íntegro Mohammed Khatami, alçado ao poder em Teerã por um sufrágio universal em insurreição contra a mollahcracia*; e o hábil Salinas de Gortari, que abria finalmente todas as comportas da democracia no México — pareciam estabelecer, na euforia do crescimento reencontrado, as bases de uma nova estabilidade mundial. As nuvens da crise, anteriormente previstas para a América Latina e o Oriente Médio, não tinham mais nenhuma possibilidade de se transformar, em um céu subitamente limpo, em tempestade.

Mesmo nas zonas ainda mais críticas, um apaziguamento era bem perceptível. Ainda que sangrento, o progresso das liberdades e do pluralismo no Magreb difundia-se a partir da Argélia em crise. A depressão do mercado petrolífero atenuava por um determinado período a virulência do integrismo saudita, que precisou abandonar temporariamente sudaneses e chechenos à sua triste sorte. A nova Autoridade Palestina e a Síria do final do reinado de Hafiz al-Asad haviam se transformado em nações engajadas na via da globalização: a primeira, com Israel convencido da necessidade de pagar o preço estabelecido pela paz; a segunda, de deixar Rafik Hariri normalizar ainda mais a situação no Líbano. Na verdade, não restavam absses-

* N. da T.: *Mollah* = doutor em direito canônico islâmico.

sos purulentos no Oriente Médio, a não ser no Iraque de Saddam Hussein e no Afeganistão dos talibãs, ainda que cada vez mais intratáveis, tanto uns quanto outros.

Mas a persistência — leia-se o sucesso econômico do reduto curdo aqui, e da zona livre de Ahmed Shah Massud Ali — permitia que a imobilização dos dois regimes fosse mantida a um custo perfeitamente razoável. Além do mais, isso tinha a virtude paradoxal de aproximar os pontos de vista de Moscou (aliada de Massud) e de Teerã (aliada dos curdos e também de Massud) dos interesses estratégicos regionais de Washington.

Esses interesses fundamentais dos EUA mantiveram forte presença no coração do regime saudita, graças ao clã dos sudairis (quatro irmãos controladores da família real), e continuavam capazes, por meio de subvenções anuais, de manter um Egito reticente na esfera de influência da estabilidade regional. Como adversários, não restavam senão os polichinelos sangrentos, que haviam se tornado inofensivos, como o líbio Khadafi, o sudanês Turabi ou o somali Aidid.

Um cenário tão otimista pode se reproduzir no horizonte de 2020? Evidentemente, não em seu conjunto. Para tanto, basta considerar que em meados da década de 1990 esse cenário foi modificado em seu cerne em relação ao esquema de apaziguamento generalizado das tensões geopolíticas e da globalização benéfica a todas as grandes potências. E isso independentemente do 11 de setembro de 2001.

No período, o preço das matérias-primas, em especial dos hidrocarburetos, aumentou de forma considerável. Sem dúvida, a combinação da instabilidade geopolítica lancinante e a continuação da expansão chinesa, ainda insuficientemente acompanhada de ganhos de produtividade, mas quantitativamente impressionante, jogam a favor de uma alta durável, como afirma o relatório do NIC. Assim como todo fenômeno histórico profundo, esse estado de coisas é uma moeda de duas faces. Por um lado, acalma certas tensões sociais fortes: por exemplo, na Arábia Saudita, possivelmente até mesmo no

Iraque, e sobretudo no Brasil e na África do Sul. Essa calmaria contribui efetivamente para a estabilização global de um mundo em plena mutação. Por outro, a entrada de dinheiro em caixa consolida de modo oportuno um regime tão desestabilizante como o de Hugo Chávez na Venezuela. Tudo isso permite uma redistribuição demagógica que de novo coloca em posição favorável o islamo-fascismo no Irã — e financia sem problema a prédica integrista muçulmana e a aplicação do programa terrorista da Al Qaeda.

Apesar de tudo, a estrutura da consumação energética mundial da década de 1990 não mais se repetirá, e isso por um longo período. A recessão na Europa, no Japão e na Rússia provocou uma redução da demanda, e a entrada maciça dos hidrocarburetos da ex-União Soviética e do Golfo da Guiné garantiria o aumento da oferta. Os EUA, que desde aproximadamente 1992 dirigem com o pé no acelerador, não poderão mais se permitir taxas de crédito bancário tão baixas, por conta do risco de inflação que se tornou novamente considerável. Vinte e cinco por cento das importações norte-americanas devem-se a hidrocarburetos, petróleo e gás liquefeito.

A esse pano de fundo, que de qualquer forma restringe a liberdade de manobra do poder dos EUA, acrescentemos agora simplesmente os elementos do modelo que sofreram variação no plano político. Uma contestação, ela mesma globalizada, da ***Pax* Americana**, marcou pontos significativos em todo o mundo. Em vez do grupo formado por México e Brasil (Salinas-FHC), que eram os melhores aliados dos EUA, além de partidários convictos da instauração de um grande mercado das Américas, temos de agora em diante uma virada à esquerda de toda a América Latina. Exemplos disso são o Brasil, cujo Partido dos Trabalhadores de Lula está no poder desde 2003; a Argentina do peronista de esquerda Nestor Kirchner; o socialista Ricardo Lagos no Chile; e o mais militante de todos, Tabaré Vasquez, no Uruguai. Podemos ouvir os rugidos da tempestade populista de toda a antiga região inca (Peru, Equador e sobretudo Bolívia), bem como a continuação dos movimentos comunistas colombianos e a resistência ideológica de Fidel Castro em Cuba, mais isolado do que nunca e intimamente ligado à Venezuela de Chávez, em plena prosperidade petrolífera. Só falta a eleição do popular prefeito socialista (PRD) do México, Lopez Obrador, para a presidência do grande vizinho do sul, eleição que poderia se fazer acompanhar de uma volta dos sandinistas ao poder na Nicarágua. O círculo de uma América Latina de diversas maneiras hostil à política de Washington teria se fechado.

A mesma constatação pode ser feita no Oriente Médio, onde o Islamismo relativamente moderado ou conservador se juntou a essa corrente hostil à globalização. Em primeiro lugar, na Turquia, com o triunfo do AKP; no Marrocos, com o crescimento do Partido da Justiça e do Desenvolvimento; no Egito, na Arábia Saudita e na Síria, marcados pela crescente influência da Confraria dos Irmãos Muçulmanos, organização muito influente também no Qatar. Nos locais onde a democracia e o pluralismo progridem (por exemplo, na Argélia, no Líbano ou no Irã), também se confirmou o arraigamento de diversas forças integristas, recuperadas em parte em novas instituições representativas.

No entanto, o antigo mundo comunista apresenta, em diferentes graus, os mesmos sintomas: substituição parcial das equipes totalmente convencidas da globalização por dirigentes mais nacionalistas e, de modo mais prudente, antiamericanos. No lugar da era Ieltsin/Jiang Zemin, a era Putin/Hu Jintao, marcada pelo confisco da petrolífera Yukos em Moscou e pela recusa de uma aliança estratégica com as companhias anglo-saxãs. Também se nota o desencadear, na China, de campanhas nacionalistas contra Taiwan e contra o Japão — e no futuro, sem dúvida, mais diretamente contra os EUA.

Não é privilégio da Europa continental ter conhecido uma fase aguda de antiamericanismo — entre a reeleição em 2003 de Schröder, na Alemanha, seguida da eleição surpresa na Espanha, em 2004, do socialista Zapatero, reproduzida de maneira idêntica em Portugal no final desse mesmo ano, e a adoção pela França da linha diplomática antiglobalização de Dominique de Villepin. Mesmo na Índia, a vitória do partido do Congresso sobre os conservadores hindus do

BJP restabeleceu, em um primeiro momento, uma esquerda mais prudente em sua aliança com o Ocidente, pois o partido de Nehru, convertido ao social-liberalismo por seu novo líder, Manmohan Singh, depende do apoio parlamentar do bloco comunista para executar sua política interna.

O caso mais patente é o da Coréia do Sul, que continua ameaçada, em seus aspectos vitais, por uma Coréia do Norte sempre paranóica e terrorista, que conferiu poder a uma esquerda populista e antiamericana; e que desenvolve uma estratégia política voltada para a recusa da defesa nacional; e a condescendência de Munique para com o regime de Kim Jong Il e a busca de uma garantia direta da China, a seu ver substitutiva da atual presença norte-americana, em vias de extinção.

Resumindo, a conjuntura pós-2001, na qual a guerra contra o terror não explica tudo, já provocou o estreitamento estratégico das relações do império norte-americano com um número limitado de alianças táticas. Grã-Bretanha e Austrália continuam fiéis a seu posto (e no limite, sem dúvida, também o Canadá); Japão e Taiwan se aproximaram de modo considerável; e a Índia se comporta sempre mais como uma aliada essencial em um futuro próximo. Continuam sendo intermediários sérios perante a Rússia e a Europa central católica, na qual a Polônia é líder; perante a China; ao Vietnã sempre vigilante quanto à hegemonia chinesa; e perante a Indonésia, que, diferentemente do Vietnã, expressa de modo mais discreto sua desconfiança em relação a Pequim. Na América Latina, a aliança da direita moderna, encarnada pelo presidente Uribe, e da esquerda reformista, como, por exemplo, a que se esboça na Nicarágua ou no seio da oposição venezuelana, evidentemente ainda não expressou sua última palavra. Finalmente, Israel, que prossegue em sua ávida e resfolegante corrida, com sucessos econômicos e tecnológicos. O que não muda o fato de que a violenta entrada da potência militar norte-americana em Bagdá tenha estilhaçado a coerência e a aparente universalidade da hegemonia dos EUA. Tratava-se, com certeza, de um fenômeno volátil e passageiro do grande eclipse dos sistemas comunistas, mas de modo algum de uma tendência garantida, a partir do momento em que as verdadeiras estruturas do pós-Guerra Fria tiverem realmente se estabelecido.

É aqui que começa o cenário da hipótese mais pessimista. Nós o chamaremos da seguinte forma: extremo mínimo (**Ciclo do Medo**), utilizando a expressão forjada pelo NIC, ou seja, para falarmos claramente, o **caos mundial**.

Mas a fim de tornar nosso filme de cinema-catástrofe crível, é preciso dar "uma mãozinha", que consistirá em agir como se todas as luzes de alarme tivessem se acendido ao mesmo tempo. Evidentemente, tal hipótese é improvável. Consideremos o mundo da década de 1930, no qual tinha-se o sentimento de que nada se oporia à vontade de poder dos fascismos, encabeçados por Hitler a partir de 1933 e até as primeiras derrotas de 1940-1941, nos céus de Londres e às portas de Moscou. No entanto, analisando mais de perto, os futuros aliados da coalizão anti-hitlerista obtiveram, de qualquer modo, algumas vitórias parciais que se revelariam extremamente úteis no momento subseqüente: por exemplo, as conquistas políticas internas de Roosevelt, que imunizariam os EUA; a abdicação do rei Eduardo VIII da Inglaterra, que decapitaria o partido pró-nazista de Londres; o fracasso da revolta de oficiais japoneses mais favoráveis à Alemanha nazista, em 1936; o cansaço físico do fascismo espanhol, que levaria Franco a desistir de qualquer forma de participação na guerra, em 1940. Todas essas pequenas pedras no caminho de Hitler representaram muito para sua derrota final, apesar de o eixo Berlim-Roma-Tóquio ter conseguido, naquele momento, algumas vitórias aparentemente significativas.

Hoje, o modelo mínimo é ainda mais implausível. É difícil imaginar que todas as regiões do mundo pudessem provocar, com uma perturbadora unanimidade, uma avalanche de dificuldades para os EUA. Por exemplo, neste exato momento, a alta do preço do petróleo deixa mais ousados os extremistas iranianos e o panbolivarismo de Chávez, mas consolida também a estabilidade da Arábia Saudita, tornando a China mais consciente dos perigos que corre ao se aliar em demasia à OPEP.

Por analogia, compreenderemos que, mesmo na hipótese mais pessimista — e o mundo dos anos 1930 era singularmente pessimista —, somente alguns elementos aqui analisados poderiam se desencadear entre 2005 e 2020, mas jamais todos ao mesmo tempo. Entretanto, a combinação imprevisível de dois ou três deles já nos traria alguns sérios problemas. Seis irrupções catastróficas são detectáveis:

A atual postura econômica dos EUA tornar-se-ia insustentável a curto prazo

Dessa hipótese conhecemos os determinantes. Podemos constatar um triplo desequilíbrio: endividamento familiar, por interrupção da poupança norte-americana; déficit orçamentário crescente, resultante da recusa ideológica de todo e qualquer aumento de impostos; e, finalmente, déficit explosivo da balança comercial. Um belo dia, o desequilíbrio global provocaria a ruína. A queda muito rápida do dólar levaria a uma subida brutal das taxas de juros, o que tornaria mais lenta a economia interna, no mínimo durante dois anos. A desvalorização dos trilhões de dólares que os bancos asiáticos detêm — os chineses em primeira posição — arruinaria o sistema financeiro de Pequim, no momento em que a diminuição do ritmo das transações comerciais transoceânicas provocasse um vasto choque na indústria chinesa. Sob pressão e incentivo de formas populistas e demagógicas, o protecionismo ressurgiria nos EUA, seguido pela Europa e pelo Japão, que montariam esferas de influência exclusivas como defesa. Para a primeira, uma no Oriente Médio, para o segundo, outro no Sudeste Asiático, em oposição direta à China.

A perturbação da globalização levaria ao triunfo das forças autárquicas na China

Essas forças já existem, hoje, no primeiro escalão de governo. Bastaria, por exemplo, uma coalizão entre o presidente Hu Jintao, os militares mais nacionalistas e as forças econômicas mais protecionistas, desejosas de desenvolver o interior do país e de proteger a indústria moderna, graças a parcerias geo-estratégicas com a Coréia do Sul, o Sudeste Asiático e o Paquistão. Essas forças acabariam auferindo um ganho efetivo. O primeiro-ministro reformador, Wen Jiabao, seria levado pela onda, e com ele iriam os empresários favoráveis à globalização, sempre desejosos de se implantar nos EUA e na Europa, bem como de estabelecer um acordo histórico com o Japão. A China se tornaria uma potência decidida a enfrentar os EUA. Ela já faz isso abertamente, com Chávez e Fidel na América Latina, com o presidente Mugabe do Zimbábue, na África austral, e mais discretamente com os militares paquistaneses mais antiamericanos e antiindianos.

A reviravolta chinesa levaria, por sua vez, outras potências hesitantes a um novo eixo antiglobalização

Na Rússia, as mesmas forças nacionalistas e antiglobalização que atuam na China (a estatal petrolífera Rosneft, o banqueiro cristão ortodoxo Pugatchev, o velho arsenal militar-industrial comprado pelo exército chinês, que nesse ínterim teria se transformado em seu principal cliente) imporiam, com ou sem Putin, uma mudança de posição, antiamericana, beneficiando-se de imediato de uma mediação saudi-paquistanesa na Chechênia, que conseguiria finalmente fazer cessar os combates e levaria a novas manobras do exército russo, desta vez contra o Azerbaijão e a Geórgia, aliados dos EUA e da Turquia.

No Irã, o presidente eleito de modo fraudulento, o islamo-fascista Ahmadinedjad, sairia da reclusão na qual se gostaria que ele permanecesse e criaria na cúpula do poder uma coalizão decidida a enfrentar os EUA no Iraque, em ação conjunta com o Estado-Maior dos pasdarans (os guardiões da revolução), que absorveria por completo o exército tradicional. Chegaríamos rapidamente a uma aliança oficial Moscou-Teerã-Pequim, abertamente dirigida contra EUA, Israel e Japão.

O aumento de poder do eixo eurasiano (China, Rússia, Irã) provocaria profundas perturbações no Ocidente (Europa e América Latina)

Como em 2003, quando da campanha da guerra antiterrorista no Iraque, a Europa unificada por sua economia, em parte por causa de sua moeda, se dividiria em duas diante do problema. Britânicos e escandinavos defendendo a independência báltica; tchecos, poloneses, húngaros, romenos pró-ocidente e ucranianos, assim como uma Holanda e uma Irlanda em plena mutação, iriam querer um recrudescimento da aliança norte-americana, a exemplo do Japão na Ásia. Em contrapartida, o par franco-alemão, apoiado pelos ibéricos, pela nova coalizão interna da Itália, pela Bélgica, mas também pelo bloco ortodoxo Sérvia-Grécia-Bulgária, que voltaria a se formar em tal ocasião, pregaria uma aproximação com o eixo Moscou-Teerã-Pequim. Para os russos, a coalizão européia continental proporia uma entente econômica, criando uma espécie de bloco geo-econômico auto-suficiente e protecionista, de Brest a Vladivostok. Dos chineses, essa coalizão tentaria obter tratamento privilegiado, substituindo os investidores norte-americanos e japoneses — em contrapartida a uma retomada de intercâmbio de tecnologias militares. Finalmente, os neo-europeus ofereceriam aos iraquianos sua total e complacente aprovação, em matéria nuclear, através da recusa de toda e qualquer sanção efetiva do comportamento de Teerã, ao passo que os russos decidiriam não mais recuperar o plutônio de uso nuclear da central de Busher, que eles haviam construído, e em seguida duplicado, para os aiatolás. O programa de proliferação iraniano triunfaria sem combate.

Observemos que essas possibilidades não passam de uma extrapolação por aceleração brusca do que se pratica neste exato momento.

Na América Latina, os socialistas moderados do Chile e do Brasil seriam engolidos pela vaga populista, encorajada por um novo bloco euro-asiático, ao qual Venezuela e Cuba adeririam de imediato; em seguida, pela decisão de Chávez de vender no futuro a totalidade das exportações de petróleo da PDVSA, estatal venezuelana, à companhia chinesa de prospecção *offshore* CNOOC. Nesse balaio de gatos, os "bolivaristas" pró-venezuelanos passariam à ação no eixo andino. Começando pela Bolívia, com a insurreição dos cocaleros de Evo Morales, mas também no Peru e na Colômbia, onde a democracia se enfraqueceria por conta da determinação das FARC e da insolente prosperidade venezuelana, que tem a caução de um barril de petróleo bruto acima dos cem dólares, em resposta às manobras russas e iranianas.

O Islamismo radical manteria todas as suas alternativas no Oriente Médio

A vaga antiamericana do Irã levaria rapidamente a uma reconciliação espetacular entre xiitas e sunitas no Iraque, na Síria, no Líbano e no Paquistão. O mollah Moqtada Sadr sairia de sua reclusão em Bagdá e fecharia um acordo militar tácito com o djihad sunita al-Zarkaui e os baasistas, aliança que desestabilizaria profundamente o governo xiita moderado de Ibrahim Jaafari e Ahmed Chalabi, desprovido de sua retaguarda iraniana. A única resposta, e bastante precária, seria aumentar o número de soldados norte-americanos na área, a partir de então abandonados por todos os europeus, à exceção dos britânicos.

No Líbano, o Hezbollah questionaria o acordo com o governo de coalizão de Saad Hariri e recomeçaria, concomitantemente, atos de provocação a Israel, bem como manobras de intimidação contra cristãos e druzos. Finalmente, na Síria, Bachar al-Asad seria deposto, em benefício de uma coalizão de oficiais generais alauitas, que reprovam o abandono do Líbano, e, em ação concertada com a nova diplomacia panislâmica de Teerã, os Irmãos Muçulmanos sunitas seriam reintegrados ao poder.

Último estágio da bomba: as brasas mal-apagadas da Al Qaeda fariam as chamas renascer com mais força

A prosperidade político-estratégica de Osama bin Laden repousa, desde o início, em uma rede de cumplicidade estabelecida na Arábia Saudita e no Paquistão. Desde 11 de setembro de 2001, as repetidas quedas de braço dos norte-americanos com seus dois pseudo-aliados orientais levaram a resultados mínimos, mas reais. Subitamente, os dois principais organizadores do compromisso com Washington, o novo rei Abdallah, da Arábia, e o general Parvez Mucharraf, do Paquistão, seriam desestabilizados ao mesmo tempo, graças às extraordinárias ofertas da nova potência chinesa e às promessas de Teerã de um completo cessar da rivalidade xiita/sunita tanto no Golfo Pérsico quanto em Karachi. Apesar de seu antixiistismo de base, o príncipe Nayef, ministro saudita do Interior, firmaria assim uma aliança com o ministro saudita do Petróleo, o xiita Ali Naimi, grande amigo de Chávez, no seio da OPEP. O general Mohammed Aziz, atual chefe do Estado-Maior, substituiria em Islamabad um Mucharraf enfraquecido, e subiria o tom imediatamente para com a Índia, restituindo plenos poderes em matéria nuclear ao célebre doutor Abdul Qadir Khan, o gênio malvado da proliferação. Falar-se-ia cada vez mais sobre a instalação em bases sauditas de mísseis chineses e norte-coreanos mais modernos que os precedentes. A qualquer momento, a bomba paquistanesa pode realmente se tornar saudita, em especial após o transporte aéreo de uma dúzia de aparatos de Karachi a Dahran (uma hora de vôo).

Esse seria o momento escolhido por Osama bin Laden — apesar de sua saúde frágil — e por seu parceiro, Ayman Zawahiri, para ganhar as zonas tribais sunitas do Iêmen, em insurreição oficiosa contra o governo de Sanaa, que continua xiita e pró-americano, ligado militarmente ao de Bagdá. A djihad recomeçaria com armas radiológicas e bacteriológicas, fornecidas pelo bom doutor Abdul Qadir às novas células da Al Qaeda, que disporiam da sofisticada logística do serviço secreto paquistanês (ISI) que, evidentemente, retomaria as manobras de desestabilização no Afeganistão (de onde os franceses e alemães teriam se retirado), assim como na Caxemira indiana.

Podemos imaginar que em Paris o importante Jean Baudrillard explicaria, na primeira página do jornal *Le Monde*, que a América era a única culpada pelo rumo que os acontecimentos haviam tomado, e que a imensa revolta bárbara que varria o mundo de Pequim a La Paz era tão-somente uma retribuição das barbáries tão mais graves cometidas por um Ocidente culpado, em especial, de ter permitido a instauração do Estado de Israel. Em Washington, o secretário-geral do Partido Democrata, o ex-governador do estado de Vermont, Howard Dean, após ter emitido um potente grito primal para se sentir em forma, proclamaria que a América não tem vocação para enfrentar o mundo todo, por um capricho de alguns neoconservadores de nomes "impronunciáveis", e que ela deveria redefinir suas prioridades, que passariam internamente por um novo protecionismo industrial e por uma dissolução do que ainda restasse das alianças da Guerra Fria no plano externo.

Os espectadores, chocados com essa representação imaginária da hipótese do **Caos**, podem deduzir por si sós a seqüência desse relato espantoso. Eles terão compreendido: daqui em diante, podem ser considerados os cenários mais graves.

Na verdade, o relatório do NIC contempla dois cenários não catastróficos, mas contraditórios: **Mundo de Davos** e **Novo Califado**. O primeiro baseia-se na projeção de dados de médio prazo: o avanço tecnológico e o poder financeiro dos EUA, a interdependência crescente das grandes economias do planeta, os espetaculares benefícios que a globalização produz em matéria de crescimento acelerado de zonas ainda pouco desenvolvidas do planeta (essencialmente a China, a Índia, o Brasil ou a África do Sul), e mesmo a dependência recíproca que se instaura pouco a pouco entre adversários potenciais — de modo um tanto perverso —, como o financiamento da dívida pública dos EUA pela China.

A projeção cotidiana dessas indigestas tendências da dinâmica mundial tem como principal efeito mergulhar a maioria das regiões agitadas do planeta em um banho refrescante e apaziguador. Demasiados interesses fundamentais da China caminham no sentido de manter boas relações com o Ocidente, para que possamos imaginar uma vitória durável do nacionalismo autárquico. Quanto à Rússia, ela tem necessidade de uma perfusão de capitais estrangeiros e de novas tecnologias civis, para se abandonar preguiçosamente a uma política de espoliação e de rendas que não tardaria a mergulhá-la novamente na regressão. O Brasil, por mais semitrotskista que seja a origem dos principais ministros de seu governo, está ligado à pacificação geral da América austral e já deu em diversas ocasiões provas da maleabilidade e da habilidade negociadoras de sua diplomacia, tanto na Venezuela quanto na Bolívia.

Ao mesmo tempo, o relatório aponta todas as evoluções positivas das sociedades civis possibilitadas pela Internet, com um acesso cada vez mais direto a todas as fontes de informação, ao diálogo de culturas ligado à imigração, ao turismo de massa, à solidariedade religiosa, outrora de proximidade e praticamente imutáveis. Os autores observam, por exemplo, que em 2020 duas das maiores comunidades cristãs (e mesmo católicas) do mundo estarão na Nigéria e na China! Porém, conhecemos movimentos de base, como o progresso do Protestantismo Evangélico na América Latina, em detrimento do Catolicismo, e de um Catolicismo personalista e "ocidentalista" na Rússia, em detrimento da Igreja Ortodoxa. O crescimento do integrismo islâmico não se confirma de modo algum em países tão diferentes como a Argélia, a Tunísia, o Sudão, a Síria, o Irã, o Afeganistão, a Ásia central, a Indonésia e mesmo — oh surpresa! — o Paquistão. Determinados movimentos migratórios não têm os efeitos explosivos que pudemos constatar na Holanda.

Na França, a imigração argelina teve um peso enorme — na questão eleitoral — para garantir o isolamento e a derrota do FIS, no final dos anos de 1990.

Nos EUA, o alcance do fenômeno de integração da imigração mexicana, que chegou recentemente às regiões inabitadas do centro-oeste, além de em grandes cidades como Chicago e Detroit, torna cada vez mais difícil uma reviravolta populista e xenófoba à Chávez, ao sul do Rio Grande.

Em uma palavra, o cenário **Mundo de Davos**, que na realidade se espalha como uma onda poderosa e subterrânea por toda a superfície do globo, representa uma corrente que acontecimentos dolorosos podem contrariar, mas dificilmente interromper. Essa "globalização bem-sucedida" — ou "feliz", para retomar o termo, ele próprio muito feliz, de Alain Minc — é a única explicação adequada para dar conta de uma série de surpresas otimistas que foram geradas no decorrer dos últimos anos. Citemos — contrariando toda e qualquer expectativa:

1. A consolidação ou irrupção da democracia, no apogeu da crise econômica asiática de 1997-1998. O crescimento da classe média, impulsionado pelo desenvolvimento acelerado, garantiu a vitória das liberdades políticas na Coréia do Sul, na Indonésia e na Tailândia, e bloqueou os arroubos autoritários de Mahatir, na Malásia, além de garantir a transição que levou à emancipação do Timor.

2. A revogação quase total dos poderes militares, outrora superpoderosos, na América austral. Nem os incômodos judiciais de Pinochet, no Chile, nem o desmoronar da estratégia econômica argentina, nem a vitória do Partido dos Trabalhadores de Lula, no Brasil, nem o clima de anarquia crescente nos países andinos conseguiram convencer os pretorianos a sair uma vez mais de suas casernas.

3. A pacificação de certos países integristas. Na Índia, inicialmente, onde a ala majoritária do BJP — provocada pelo primeiro-ministro Vajpayee — soube, no que era indispensável e contra seus próprios partidários extremistas, preservar a laicidade, cuja abolição havia sido, no passado, elemento essencial do programa hinduísta. Em seguida, na Turquia, onde a chegada do AKP ao poder não teve qualquer reflexo nem na vida cotidiana da população nem na política de integração européia do Estado.

4. O recuo geral das formas autoritárias no mundo pós-comunista, inclusive na Rússia, onde Putin não seguiu completamente a tendência da autocracia restaurada. As eleições ucranianas de 2004 terminaram com um novo triunfo da democracia, preparado pouco antes pelas eleições georgianas, seguidas pelas eleições kirzigues de 2005. A Sérvia entrou em convalescença e começou a entregar seus criminosos de guerra ao TPI, assim como a Croácia e mesmo a Bósnia muçulmana. A descida (sangrenta) dos mineiros a Bucareste, ou as violências anti-húngaras na Eslováquia, os enfrentamentos armados na Moldávia e as ameaças de medidas contra os ciganos em toda parte, para não falarmos do anti-semitismo em declínio até mesmo na Rússia, rapidamente viriam a ser péssimas lembranças do início dos anos 1990. A integração, em especial a européia, levou a uma pacificação geral, muito mais profunda do que o previsto, e difundiu seus efeitos calmantes até Moscou.

Tudo indica que a "onda Davos" continuará sendo uma força permanente de estabilização do planeta. Longe de ser uma ***Pax Americana*** impossível, ela nos apresenta, como uma série de sucessivas eclusas, para um rio caudaloso de irrupções torrenciais, uma premonição contra as catástrofes semelhantes às descritas no cenário de caos mundial.

Mas as mesmas forças agiriam efetivamente sobre a crise das sociedades islâmicas? Sem dúvida não, pois continua sendo absolutamente possível o cenário "bin ladeano" de emergência de um **Novo Califado**.

Como diz de modo exemplar a *Bíblia*, "nem só de pão vive o homem". Seguramente o Islamismo contemporâneo teve raízes sociológicas na urbanização brutal do mundo muçulmano no decorrer da última metade do século. Cairo, Istambul, Casablanca, Teerã e Karachi pontuam a história recente com a alarmante aglomeração de suas populações. Mas o essencial do movimento islâmico é alimentado por causas ideológicas, muito mais do que econômicas. Todos os piratas aéreos de 11 de setembro tinham um emprego, bem como todos os assassinos dos turistas de Luxor, em 1997. Todos os chefes menores da Al Qaeda pertencem à classe média do Egito, da Jordânia ou do Paquistão; todos os grandes chefes pertencem à elite financeira ou de classe. Os aliados desse movimento são, no mais das vezes, negociantes extremamente ricos, engenheiros e advogados, como, por exemplo, membros da família real saudita, oficiais com futuro promissor do Paquistão, do Egito e do Marrocos. Se a riqueza material deveria extinguir os focos do Islamismo radical, por que então ele continua tão forte na Arábia Saudita, em especial nas grandes cidades, como Riyad, mesmo se o PIB *per capita* saudita se equipara atualmente ao da Áustria?

A verdade é, portanto, bem diferente. Assim como o ciclo fascista se apoderou da classe média européia transtornada pela Primeira Guerra Mundial, o ciclo islamita mobiliza com uma ideologia relativamente coerente a classe média do mundo muçulmano, transtornada e humilhada à exasperação, pela perda de influência de seu universo, face à ascensão do mundo chinês (Indonésia, Malásia), da Índia (Paquistão, Bangladesh), de Israel (Oriente Próximo) e da cultura ocidental, seja ela francesa (Magreb), anglo-saxã (Turquia) ou até russa (Cáucaso e Ásia central), e mesmo as revoltas de identidade africanas (Sudão, Sahel, Mauritânia, África oriental). Sem dúvida, o califado não é uma aspiração realista, não mais do que era "a grande nação árabe" do Atlântico ao Golfo Pérsico, evocado então por Nasser e pelos baasistas. Mas a projeção dessa utopia política na realidade cotidiana do mundo muçulmano contribui poderosamente para sua permanente agitação, ainda mais facilitada pelo relativo grau de desenvolvimento econômico e pela disposição de capitais ociosos dos Estados petrolíferos (Líbia, Arábia Saudita, Emirados Árabes, Irã), que podem se relançar a qualquer momento em formas imprevisíveis de djihad.

É justo só considerarmos aqui o integrismo islâmico e silenciarmos — mais ou menos — sobre os outros? Sim, apesar de algumas restrições.

Todo muçulmano terá perfeitamente razão de se indignar por não nos lembrarmos dos crimes dos outros integrismos, tão atrozes quanto. Cristão ortodoxo em Sbrenica, na Bósnia, em 1995; hindu em Gujerat em 2003, com a carnificina urdida pelo governador local do BJP, Narendra Modi; ou ainda judeu em Israel, com o massacre da mesquita de Hebron em 1996 pelo integrista Baruch Goldstein, para não citarmos as brutalidades injustificáveis do exército russo na Chechênia. E, no entanto, nenhum desses integrismos, por mais atrozes que possam ser suas conseqüências, representa um autêntico projeto político de escala mundial, ou mesmo nacional.

O antiislamismo comunalista (que prega a autonomia das comunas) de Narendra Modi já sofreu o bloqueio dos moderados, no seio do BJP, e levou, entre outros fatores, à vitória eleitoral do Partido do Congresso, da senhora Gandhi, em 2003. O gesto de Goldstein, assim como mais tarde o assassinato de Isaac Rabin pelo mesmo grupo, não despertou nenhuma simpatia no mundo judeu, nem sequer israelense. Se podemos encontrar alguns sérvios que ainda exaltam as tristes aventuras de seus maus líderes (Karadzic e Mladic), em contrapartida a esperança que os nacional-comunistas de Belgrado concebiam, de conduzir a influente Grécia e a grande Rússia pelas pegadas de seu próprio percurso, chocou-se a tenazes resistências, que terminaram — isso sim — por ecoar sobre a opinião pública sérvia. A Rússia jamais concordou em se declarar em guerra contra os muçulmanos, que são legítimos cidadãos de seu Estado. A Grécia acabou encontrando, com Georges Papandreu, a via da negociação com a Turquia.

Nada parecido no mundo muçulmano, onde Bin Laden ainda goza de uma ampla simpatia, muito pouco crítica; onde movimentos islâmicos de massa esperam por sua vez para poder avançar como um exército regular por um terreno já checado pelas ações de vanguarda de seus djihadistas; onde alianças antiglobalização tecem-se para além das fronteiras regionais, a fim de autorizar "essa marcha rumo a Meca", que ainda espera por seu Mussolini islâmico. O cenário **Novo Califado** não pode se cumprir integralmente. Não mais do que o cenário euforizante de **Mundo de Davos**. Mas assim como o primeiro nos conduziria pouco a pouco rumo a uma ***Pax* Americana** (máxima), o segundo nos aproxima rapidamente do ***Caos*** (mínima).

Não é absolutamente necessário imaginar uma unificação total dos muçulmanos do planeta para conceber o efeito cascata desse tipo de fenômeno de insurreição no resto do mundo. Hoje em dia, Chávez corteja os islamitas e atiça o anti-semitismo local com a visão de uma grande aliança petrolífera que levaria o barril, sem qualquer esforço, a custar mais de cem dólares. Para já, os franceses contra a globalização aclamam o predicante integrista Tariq Ramadan, que vilipendia os intelectuais judeus franceses. A China liga-se aos militares paquistaneses mais hostis à conciliação com os EUA e a Índia, e procura construir em torno do porto beluchi de Gwadar (no Beluchistão, sul do Paquistão) o instrumento de uma política intrusiva no

Oriente Médio. E não faltam a Moscou e ao Teerã saudosistas inflamados, uns a lamentar a velha política árabe da União Soviética, os outros, a fraternal reconciliação com os djihadistas sunitas.

Não é, portanto, o grau intrínseco de nocividade que distingue tanto assim os islamitas dos outros integristas dispersos pelo mundo, mas simplesmente sua capacidade qualitativamente superior de mobilizar importantes forças políticas e militares a serviço de suas ambições momentâneas, e de, num segundo momento, numa mescla sutil de intimidação e emulação, auxiliar a coagular outras forças antiglobalização, que podem rapidamente levar o planeta ao caos e à guerra generalizada.

No passado, intelectuais nazistas ou pró-nazistas, como Martin Heidegger ou Ernst Jünger, puderam gozar de prestígio intelectual, e mesmo moral, no caso do segundo, como não se encontra equivalente na França mesmo num aventureiro munido de uma pena genocida, como Celine, ou como sua *concierge*, Madame Arletty (na realidade, Leonie Bathiat), cuja correspondência com Celine é particularmente eloqüente. Felizmente, a sociedade francesa foi bem menos eficiente na difusão dessas idéias perigosas do que a alemã.

Pessoalmente, considero certos teólogos islamitas — sobretudo xiitas — bastante respeitáveis, pela intensidade e fervor de sua fé, à qual dou preferência, em desfavor da escória anti-semita e antiglobalização de nossos subúrbios. Mas a nocividade de uns, numa sociedade que se impregna de seus discursos, não é comparável à dos outros, que se vêem obrigados a tergiversar verbalmente com um sistema de valores que os condena de imediato, o do Ocidente laico e democrático.

De onde as conseqüências aterradoras que encontramos no cerne do cenário **Novo Califado**. Como o relatório do NIC é dirigido a um presidente texano, George W. Bush, que gosta de "*happy endings*", as páginas ali dedicadas ao tema evocam privilegiadamente as dificuldades da empreitada, o excesso de forças em conflito, que se lhe opõem, mais do que seu sucesso iminente. Quanto a mim, partilho do relativo otimismo dos autores. Mas é preciso que tenhamos em mente o verdadeiro alcance do desafio, e os meios para obtê-lo.

O movimento integrista, do qual a Al Qaeda é tão-somente uma força especial de vanguarda, é na realidade majoritário no Egito e na Arábia Saudita — apesar de, nesta última, ser dividido entre moderados e extremistas. Ele mantém as armas ao alcance da mão das milícias tribais sunitas do Iêmen de Al Islah, que contam com uma centena de milhares de homens decididos, e influencia a ideologia dos assassinos "djandjawid" do Darfur, no Sudão. Esse movimento infiltrou clandestinamente elementos no exército e no serviço secreto do Paquistão, e mantém sólidos grupos militantes entre os pathans do Afeganistão e em certas zonas da Ásia central ex-soviética. Com a questão chechena, os integristas sentem-se atualmente em casa no Cáucaso russo, e cada vez mais influentes na Palestina, especialmente em Gaza. Sua implantação é sem dúvida importante na Síria, como o é na Líbia. Na Argélia, a exemplo do Marrocos, as tentativas de recuperação pelo poder civil conferem uma legitimidade crescente a esse movimento integrista, sem, no entanto, reduzir realmente as margens de ação das forças mais radicais, como as de Cheikh Yassine, no Marrocos, ou as da maioria dos antigos combatentes da AIS, na Argélia. A eleição de Ahmadinedjad no Irã, por mais forjada que tenha sido pelos integrantes das milícias pasdarans, também nos envia um sinal extremamente alarmante. Somente o Líbano, novamente pluralista, o Iraque xiita e a cada dia mais democrático, o poder pacificador do presidente Karzai no Afeganistão, os novos xiitas zeiditas no Iêmen, os berberes laicistas do Magreb e a prosperidade ativa e laboriosa da Tunísia serão realmente um obstáculo a esse movimento integrista. Para sermos justos, acrescentemos a imagem da democracia tolerante que a Turquia apresenta atualmente, a qual se estende ao Azerbaijão, independente como, pouco a pouco, o Irã; e ainda o rigor político de vários exércitos, além do turco: do marroquino, do argelino, do tunisiano, do egípcio, assim como o da Guarda Nacional multiétnica da Arábia Saudita, que zelam pela racionalidade dos Estados.

Evidentemente, todas essas barreiras não serão abolidas de uma só vez. Mas várias podem sê-lo, algumas vezes de improviso, e podem provocar graves conseqüências políticas e humanas.

Como responder a isso? O relatório da CIA é pobre de indicações concretas a respeito desse problema, apesar de muito bem esboçado. Talvez possamos ir um pouco além na conclusão desta apresentação.

Consideremos, efetivamente, o grupo dirigente que emergiu da Al Qaeda como um modelo muito reduzido das forças às quais poderíamos nos ver confrontados, juntamente com os EUA. Um chefe, "um emir" saudita, praticamente membro da família real, Osama bin Laden; um conselheiro político de alto poder de influência, Aymam Zawahiri, oriundo da elite intelectual egípcia (ele foi um renomado cirurgião), assim como da religiosa (também é neto de um xeique Al Azhar, reitor da Faculdade de Teologia do Cairo, que equivale mais ou menos ao Vaticano, para os sunitas); milícias tribais diferentemente organizadas: em 2001, os talibãs afegãos, do mollah Omar, mas poderiam ter sido as milícias iemenitas de Islah, do xeique Zindani, os grupos senussis na Líbia, na hipótese da queda de Kadhafi, e em especial, atualmente, o grupo Zarkaui no Iraque.

Façamos agora o que em matemática chamamos de homotetia positiva. Quer dizer: aumentemos em oito vezes a dimensão desse grupo. Obteremos, dessa forma, uma facção integrista ultrawaabita da corte saudita no lugar de Bin Laden, auxiliada por uma plêiade de intelectuais e predicadores egípcios do movimento dos Irmãos Muçulmanos, no lugar de Zawahiri, e um dos dois exércitos tradicionais sérios da região (paquistanês, egípcio ou sírio), em vez das milícias tribais anteriores, no exercício de seus direitos e funções.

Notamos que o problema mais grave começa com as armas de destruição em massa, e a mais evidente delas: a bomba paquistanesa. Mas em seguida ele se irradia pouco a pouco, criando um abcesso arraigado, que será muito difícil de dominar sem intervenção militar e massiva, numa ruptura inevitável do "consenso de Davos", laboriosamente aprimorado no decorrer dos anos.

Neste ponto, nossos amigos norte-americanos caminham sobre ovos, e não fornecem ao leitor mais do que fiapos de análise. Ele que se arranje sozinho! Mas nós podemos ao menos lhe dar algumas indicações: o consenso de Washington diz respeito atualmente a três elementos estratégicos.

1. Fazer o possível para abrir e arejar o mundo do Islã, reforçando suas afinidades com seus vizinhos. Isso já foi feito na Indonésia e na Malásia, que optaram por sua identidade asiática. Essa é a razão estratégica fundamental do apoio norte-americano à candidatura turca de entrada na União Européia e, anteriormente, do apoio às reivindicações bósnia e albanesa nos Bálcãs, assim como, certamente, do auxílio fornecido aos separatistas chechenos anteriormente — apesar dessa aposta ambiciosa demais ter-se revelado um fracasso. A mesma idéia se aplica com mais dificuldade ao Paquistão, cuja identidade profunda, indiana, Washington gostaria de fazer brotar, para proceder à verdadeira pacificação com Delhi, com base numa convergência durável das duas sociedades civis. E mesmo no Sudão, onde os norte-americanos, forçando a via da União Africana, tentam reintegrar o Estado islamico negro de Cartum a uma realidade regional à qual seu reivindicado lado árabe faz com que vire as costas.

2. Utilizar uma dinâmica efetiva no Iraque para mobilizar o mundo xiita em seu conjunto, atraído pela experiência democrática, desde a vitória dos seus, nas eleições livres em Bagdá. Essa carta xiita já produziu efeitos favoráveis no Iêmen, no Paquistão — onde os xiitas, como Benazir Butto, são a ponta de lança da modernidade e da laicização — e nos Emirados Árabes, no Barein, em Omã, onde eles são cooptados pelos poderes vigentes, de bases liberais e democráticas. Essa estratégia complica totalmente o Hezbollah libanês, que apesar de tudo começou, por considerações análogas, a romper as amarras com o poder sírio e a jogar o

jogo das eleições livres libanesas, até participar com dois ministros do governo de Saad Hariri. A aliança cada vez mais estreita entre os EUA e a maioria dos xiitas árabes e indo-paquistaneses inibe certa e evidentemente a agressividade de Teerã, que por hora tolera e até mesmo favorece a presença dos EUA no Iraque e no Afeganistão, unicamente por esse motivo. Mas essa estratégia não será suficiente, se ela terminar entregando o mundo sunita (75% do mundo muçulmano) às atividades desestabilizadoras dos integristas. É aqui que o consenso atual em Washington deságua na empreitada mais arriscada.

3. Pressionar os regimes autoritários amigos, a fim de que estes finalmente concordem com eleições livres. Obrigar os islamitas moderados a assumir a nova lógica de integração que eles pretendem encarnar, e cortar a vanguarda bin-ladeana de sua base, organizada pelos Irmãos Muçulmanos e por certos grupos aparentados.

É aí que está todo o risco calculado. Na verdade, existem evidentemente movimentos nascidos do Islamismo e que inicialmente partilharam suas convicções xenófobas, intolerantes, misóginas, antisemitas e filofascistas, que operaram uma verdadeira reviravolta no sentido de um conservadorismo muçulmano semimoderno sem restrição mental relativamente ao pluralismo político e cultural. Já na Bósnia, o falecido presidente Izetbegovic havia, depois de um passado movimentado, manifestado incontestáveis tendências conciliatórias. O desenvolvimento ocorrido na Turquia desde 1997 levou igualmente ao nascimento, com o AKP, do modelo do partido pró-islâmico, convertido ao liberalismo democrático. Em torno do atual governo turco, produziram-se adesões entre os islamitas albaneses da Macedônia, entre os islamitas progressistas dos irmãos Khatami no Irã, e no Partido da Justiça e do Desenvolvimento do Marrocos, candidato à cooptação pelo trono. Uma personagem como Taleb Ibrahimi na Algéria, que encarnava a tradição liberal conservadora do Movimento dos Ulemás (teólogos muçulmanos) de antes de 1945, também se une a essa tendência, à qual devemos igualmente anexar os Irmãos Muçulmanos iraquianos, que entraram pelo antibaasismo no governo pró-americano de Bagdá, além dos próprios Irmãos Muçulmanos egípcios, se dermos crédito às suas melífluas declarações, nas quais incluem sempre a expressão democracia, contrariamente a todas as suas doutrinas. Mas aqui tudo se transforma numa questão de cursor. O enunciado de um princípio, por mais sacrossanto que seja, como a legitimidade democrática, só tem sentido se as eleições livres garantirem que não haverá, em seguida, confisco do poder por aqueles que nele desembarcarem.

Assim como o pluralismo religioso, inerente às sociedades iraquiana e libanesa, permitia impor instantaneamente barreiras de proteção a uma onda islamita comparável à eleição argelina de 1991, da mesma forma países como a Arábia Saudita (com eleições municipais catastróficas para o poder em Ryad, em maio de 2005) e a Palestina, tão frágil, parecem bastante expostos a atos de força eleitorais pouco transparentes, tendo como modelo as eleições forjadas de Teerã em junho de 2005.

A somatória dessas três estratégias equivale a admitir que para o terceiro cenário (a ascensão do **Novo Califado**), a América não tem na verdade — pode-se adivinhar — nenhuma estratégia de fato. O cenário número um, ***Pax* Americana**, não precisava senão de uma pilotagem automática benevolente e algo condescendente. Lembremo-nos do apogeu dos anos Clinton, comércio, *boom* informático e doutrina de zero-mortes: era impositivo salvar o soldado Ryan do horror do mundo, com a ajuda de todas as boas vontades. O cenário número dois, o **Caos**, era relativamente simples de administrar. Uma vez estabelecida a catástrofe, a América não teria outra escolha a não ser enfrentar pela guerra e pela mobilização de todos os seus recursos uma chusma de inimigos, com uns poucos aliados confiáveis. O cenário número três, **Mundo de Davos**, é de longe o mais simples de ser concebido. Basta que as sociedades civis e os agentes econômicos fundamentais deste mundo sejam livres para se associar e multiplicar suas vantagens comparativas o mais amplamente possível pelo planeta. Mas tudo isso não nos fornece a chave do quarto e mais verossímil cenário, o conflito com uma força integrista majoritária no mundo muçulmano e que já pôde, com seus parcos meios, semear o terror e o caos que conhecemos: em Nova Iorque, setembro de 2001.

A esta altura, os leitores devem estar insatisfeitos. Todavia, tive a presunção, para concluir, de me dirigir a eles, e aproveitando a ocasião, também aos nossos amigos norte-americanos, para lhes endereçar os bons conselhos que se seguem, e que poderíamos batizar de cenário cinco, **O triunfo do multipolarismo moderado.**

A ***Pax* Americana** dos anos 1990 foi um acidente da história recente. As condições que a tornaram possível e mesmo suportável a uma maioria de Estados não mais se reproduzirão por muito tempo. O cenário **Mundo de Davos** continuará sendo, aconteça o que acontecer, a tela de fundo durante os próximos 14 anos, mas sem poder controlar verdadeiramente todos os acontecimentos catastróficos que acontecerão, de maneira inevitável. Para fazer frente aos próximos 14 turbulentos anos, é preciso, antes de mais nada, nos concentrarmos nos cenários pessimistas, o **Novo Califado** e o **Caos**, a fim de minimizarmos seu impacto mais violento.

Para tanto, devemos começar pelo fim e caminhar de trás para a frente, seguindo o fio de Ariane na direção desse *big-bang* da morte, que foi o 11 de setembro de 2001. Começar pelo fim significa simplesmente partir do universo em expansão, o caos total, para dali jugulá-lo preventivamente.

O objetivo mais simples é na realidade desmontar as bombas menos prováveis — ouso dizer —, a russa e a iraniana. Moscou já deve ter se dado conta de quão inútil tem sido sua política nacionalista. Desde o final de 2004, nove bilhões de dólares de capital de investimentos deixaram novamente a Rússia: mais nenhuma sociedade estrangeira séria pretendia entrar no mercado russo após o esbulho da Yukos. O atraso dos investimentos absolutamente prioritários, na esfera petrolífera, levou à baixa dos ganhos com o petróleo e o gás russo em 2005, em pleno período de alta mundial dos preços. É que a produção simplesmente não mais acompanha o ritmo, a partir do momento que a Yukos está aniquilada e que os guardiões russos que trataram a máquina a chutes e pontapés revelam-se, além de tudo, incapazes de fazê-la funcionar. A Rússia se confronta com dois tipos de adversários geopolíticos de peso. A leste e ao sul, forças firmemente hostis ameaçam sua integridade territorial. São os islamitas (insurreição chechena) e a China (absorção insidiosa progressiva do Extremo-Oriente russo, pela infiltração de população imigrante e dominação econômica). A oeste, os mais diversos revanchismos (báltico, ucraniano, georgiano, de fundo polonês na Bielorússia e turco no Azerbaijão) contribuem para sangrar uma Rússia humilhada e encolhida, numa definição estreita e desesperadora de si mesma. Nada de muito sério foi tampouco tentado em matéria de parcerias tecnológicas, apesar das promessas vagas da administração Bush, no momento em que Putin concordou com a abolição unilateral por Washington, do tratado ABM. De modo a permitir aos norte-americanos que testassem livremente a proteção estratégica antimísseis.

Seria, portanto, necessário inverter urgentemente essa política, a fim de liberar a Rússia de toda e qualquer preocupação vinda do oeste, o que permitiria centrar novamente sua atenção nos adversários mais temíveis, do leste e do sul. É exatamente o que fez Henry Kissinger com a China de Mao em 1972, liberando-a de qualquer tipo de pressão norte-americana, permitindo-lhe dar prioridade à ameaça soviética. Naquele dia, a Guerra Fria começou a ser ganha.

Ao pressionar a Polônia e a Turquia para que ambas tenham um melhor entendimento com Moscou, ao impor um perfil mais baixo aos nacionalistas letões e estonianos, ao encorajar entre os dirigentes ucranianos e georgianos uma maior boa vontade para com o interlocutor natural russo, e, finalmente, ao considerar o problema checheno com menos condescendência, relativamente ao terrorismo e à barbárie, o Ocidente inteiro suspenderia verdadeiramente a hipoteca russa e permitiria, no mesmo movimento, o isolamento político definitivo dos nacionalismos autoritários e antiglobalização ainda ativos no Kremlin, que foram os verdadeiros autores da estratégia de quebra (ou da própria quebra) da Yukos.

Infelizmente, a bomba iraniana é uma verdadeira bomba. O que torna a suspensão da hipoteca iraniana, sem dúvida, mais delicada. Mas se fizermos o balanço exato dos verdadeiros interesses geopolíticos de Teerã, constataremos que a intervenção dos EUA na guerra contra o terror produziu uma melhora momentânea, e sem nenhum sacrifício dos mollahs, da posição do Irã, em especial frente a seus dois astuciosos adversários: o Iraque sunita e baasista e o Paquistão militar e semi-integrista. Em Kabul como em Bagdá (que outrora faziam parte do grande Irã) reinam atualmente amigos próximos (do Irã), Ibrahim Jaafari e mesmo Hamid Karzai, que sabe que o Irã lhe garante a lealdade de 40% dos tadjiks persófonos do norte e do oeste, que formam com os patans do leste o essencial do Afeganistão. A sombra projetada por Teerã estende-se inclusive até Damasco, e Beirute, e mesmo até a outra margem do Golfo Pérsico, no Barein e no Dubai. Mas o Irã pode perder tudo rapidamente, se prosseguir na política integrista do novo presidente Ahmadinedjad e de seus acólitos com as mãos sujas de sangue. Poderíamos imaginar um dispositivo técnico que obrigasse o Irã a desacelerar sua marcha rumo ao armamento nuclear, preservando suas possibilidades no futuro, e que o retirasse de imediato, completamente, de seu isolamento. Esse lance de dados é mais delicado de ser jogado, mas vale a pena. Se Condie Rice levasse George W. Bush com ela a Teerã, para ali firmar um bom acordo com os mollahs menos empedernidos, repetiria o gesto de Henry Kissinger, que jogou deliberadamente, e com conhecimento de causa, no sentido de sepultar de forma inevitável a Revolução Cultural chinesa, com cerca de quatro anos de avanço sobre a queda dos maoístas do Bando dos Quatro.

Uma vez eliminado o espectro de uma tripla aliança Moscou-Teerã-Pequim, a América poderia, então, se ocupar seriamente da China. Mas com o cuidado de não agravar inutilmente as relações de rivalidade inelutável — dado por si só inscrito na continuidade do processo — e que não são em nada compatíveis com uma cooperação realista. Uma identidade notável já teria então sido instaurada. Os EUA têm um assunto de comum interesse com a China: a alta demasiado rápida do preço dos hidrocarburetos, da qual o Império do Meio será rapidamente a primeira vítima. Sem dúvida, a tendência autárquica ultranacionalista de Pequim conta poder contornar, por meio de acordos bilaterais, a alta orquestrada por venezuelanos e sauditas no quadro da OPEP. Mas os chineses estão redondamente enganados quando acreditam poder fazer flutuar por muito tempo o preço do mercado. Em conseqüência, a verdadeira política chinesa de longo prazo, e mesmo de imediato, seria a de entabular um acordo com a América e a Índia, para diminuir a demanda de hidrocarburetos (melhor produtividade interna chinesa, principalmente graças a Taiwan; aceleração de um programa nuclear civil extremamente ambicioso, com o auxílio do Japão e dos EUA) e diversificar o máximo possível a oferta, sem apostar na rivalidade permanente com a América. Assim sendo, a América poderia abandonar uma Coréia do Sul ingrata e politicamente inepta em favor de uma aproximação com Pequim, com condição de que a segurança militar de Taiwan permanecesse garantida. E dessa forma reconhecer, de maneira inequívoca, o papel hegemônico da China no Sudeste Asiático, contanto que ela respeitasse três acordos fundamentais:

1. Não abusar de seu poderio, mas buscar a reconciliação com um Vietnã que continua sendo a grande base econômica do Japão no continente asiático.

2. Combater sem tergiversar os islamitas, de Xinjiang à Indonésia, o que corresponde perfeitamente tanto às aspirações dos colo-

nos do oeste do país quanto às das comunidades chinesas do Sudeste Asiático.

3. Cortar as funestas ligações que unem os serviços secretos chinês e paquistanês e unir-se aos EUA numa mesma política de reconciliação indo-paquistanesa.

Em contrapartida, nenhum obstáculo deveria ser colocado ao poderio chinês, desde que o país respeitasse seus compromissos. Evidentemente, uma política de estabilização financeira nos EUA, graças a altas consideráveis de impostos, e a uma subida realista dos juros, deve poder liberar Washington de um controverso financiamento de sua dívida pública pelo Banco Central da China. O Império do Meio tem coisa melhor a fazer com seus recursos excedentes da balança comercial do que financiar novamente os excessos antifiscais do Partido Republicano. Em troca do quê, a China só obtém juros futuros (oficiais) sobre os bônus do Tesouro dos EUA muito inferiores aos ganhos possíveis. Numa só palavra, seria preciso conseguir que a classe dirigente chinesa passasse do estágio do Japão de 1929 ao do Japão keynesiano e civilista de 1950, poupando-a — e ao restante do mundo — do infortúnio do militarismo autárquico e da agressão belicosa, seguido da ruína e da humilhação. Isso deve ser possível mantendo-se os mercados abertos à expansão industrial da China, o que só reforçaria as tendências globalizantes.

Com o horizonte assim desimpedido das forças antiglobalização mais temíveis, a América deveria dedicar um olhar mais atento ao hemisfério ocidental, que não é um quintal desprovido de interesse profundo, mas um vasto poder industrial em gestação, definitivamente equivalente à China de um futuro próximo e com um potencial econômico e demográfico equiparável ao dos próprios EUA. Estranhamente, a situação é a mesma de 1941, no início da Segunda Guerra Mundial. Três sólidos aliados dos EUA: o México rooseveltiano de Cardenas, muito à esquerda no plano interno; o Brasil de

Vargas, mais conservador, mas que se tornou decididamente antifascista; e o Chile, ele também governado pela esquerda radical (no sentido francês, da III República) associada aos socialistas. Atualmente, o Brasil é evidentemente o que está mais à esquerda, e o México é mais conservador, ao passo que o Chile continua ligado à esquerda moderada — mas constata-se a mesma situação: essas potências, sem se identificar cegamente com as causas dos EUA, desejam a vitória da globalização liberal e da democracia. Elas almejam um bom compromisso com Washington.

Ao contrário, nos anos 1940, as potências simpatizantes do eixo ítalo-alemão-franquista eram a Argentina, que se tornaria peronista, a Bolívia do MNR social-fascista, e evidentemente a Venezuela do tirano Gomez, admirador de Franco, assim como Chávez é hoje em dia de Fidel. Aqui também a América deve confiar no Brasil, além de integrar o México, a América Central, e futuramente todo o eixo andino, da Colômbia à Bolívia. O isolamento político dos inoportunos revolucionários pelos EUA, e a difusão das boas práticas liberais e democráticas, pelo México para Cuba, pelo Brasil para a Argentina, pelo Uruguai para a Venezuela, pelo Chile para o mundo inca (Peru, Equador, Bolívia) permitiriam avanços. Não sem uma transformação qualitativa da política norte-americana ao sul de seu hemisfério — especialmente a reticência dos EUA de fazer uso da força antes de serem aparente e claramente obrigados a isso. Seria desejável que Chávez caísse como um fruto podre, depois do próprio Fidel, e de tal maneira que todos pudessem se dar conta da falência econômica à qual ele terá levado seu país.

Resta então falarmos do terceiro cenário (o **Novo Califado**), no qual pensamos todos, nesta época de retomada de atentados. Três conselhos me parecem aqui bastante úteis. Em primeiro lugar, como numa área infectada, isolar as partes sãs da zona contaminada. O Magreb, o Irã e o Afeganistão, a Turquia, o Azerbaijão e o Turcomenistão (ou Turquimênia, ou Turquemênia, ou Turcomênia) têm tudo para se tornarem espaços regionais integrados, voltados para a

Europa e o vasto mundo, e potencialmente democráticos, pois todos já são na verdade pluralistas. Em seguida, consolidar por acordos de paz, pressões, e em último caso por auxílio militar, o núcleo positivo que se destaca do caos do Machrek. Ele se apóia atualmente nos poderes xiitas pacificados no Iraque e no Líbano, aliados à proteção do poder sírio, à família hachemita no poder na Jordânia e à atual Autoridade Palestina, que é preciso livrar o mais rapidamente possível de seu condicionamento pelo Islamismo egípcio.

Pois é preciso compreender que frente a um Islamismo egípcio e saudita ultra-sunita, um bloco de todas as minorias religioso-xiitas, druzas e cristãs, de Gaza a Bagdá pode se aliar a todos os liberais e pragmáticos laicos da região e pôr em xeque a tentação da violência. Restaria então a terceira etapa. Essa, a mais dolorosa de todas, consistiria numa visão absolutamente fria da real política dos três Estados candidatos ao califado, e que são oficialmente os principais aliados históricos dos EUA. O Paquistão, virtualmente desde sua fundação em 1947 até o final da guerra afegã em 1989, foi o parceiro oficial dos EUA em todas as suas guerras. A Arábia Saudita, praticamente desde a entrada em cena do consórcio petrolífero da Aramco em 1931, e sem dúvida desde os acordos Ibn Saud-Roosevelt de 1945, conheceu uma espécie de protetorado amigável dos norte-americanos. O Egito, desde o acordo de paz com Israel, em 1977, tornou-se o principal aliado árabe de Washington. E, no entanto, a "mãe de todas as batalhas" continua bem ali, e em nenhum outro lugar. A solução política evidente é certamente favorecer a mudança de sistema político naqueles três grandes países, mas desde que se saiba que tal mudança passa necessariamente pelo enfrentamento. Entre os laicos, os xiitas e os indianófilos paquistaneses de um lado, e de outro um exército cada vez mais pathan e integrista, baseado em sua dissuasão nuclear e em suas certezas sectárias. Entre os islamitas egípcios e todos aqueles que querem preservar a liberdade e a tolerância da civilização do Nilo, inclusive no Sudão e na Líbia. Entre os sauditas não wahhabitas, convencidos da mudança e aliados dos melhores árabes (população dos Emirados Árabes), omanitas, iemenitas, de um lado, e de outro aqueles que pretendem fazer do reino petrolífero o instrumento da dissolução de nosso mundo. O combate terá seus imprevistos e suas surpresas, mas por pouco que a infecção seja controlada naquela área, e o consenso entre os principais pólos do planeta garantido, a América sairá uma vez mais vitoriosa desse teste, desde que aprenda a necessária modéstia dos fortes e o respeito sem premeditação nem segundas intenções pelas outras potências, que, como afirma a Declaração de Independência de 1776, têm todas o mesmo direito à vida e o mesmo direito à felicidade.

Mapeando o futuro global

Relatório do Projeto 2020 do Conselho Nacional de Inteligência

Baseado em consultas realizadas com especialistas de agências não-governamentais do mundo todo

Dezembro de 2004

A paisagem global em 2020

Certezas relativas	Principais incertezas
A globalização tende a se tornar menos ocidentalizada.	A globalização introduzirá economias atrasadas no cenário mundial; países asiáticos estabelecerão "novas regras para o jogo".
A economia mundial será substancialmente maior.	A distância entre ricos e pobres aumentará por conta da fragilidade de certas democracias ou em conseqüência das crises financeiras
O crescente número de empresas globais facilita a disseminação de novas tecnologias.	A facilidade de conectividade desafia os governos.
A emergência da Ásia e o surgimento de novos "pesos médios" econômicos.	A emergência da China/Índia ocorrerá suavemente.
O aumento do número de idosos nas potências mundiais.	A capacidade da União Européia e do Japão para acomodar mão-de-obra estrangeira, adaptar sistemas de previdência social e integrar imigrantes; a UE se tornará uma superpotência.
Suprimento de energia suficiente para atender à demanda global.	Instabilidade política nos países produtores de petróleo; crise no suprimento mundial.

Certezas relativas	Principais incertezas
Poder crescente de atores não-governamentais (ONGs).	Desejo e capacidade das nações para acomodar esses atores.
O Islã político continuará a ser uma força poderosa.	Impacto da religião sobre a estabilidade dos países, aumentando o potencial para o conflito; crescimento da ideologia da jihad.
Armas de destruição em massa mais poderosas.	Não se sabe se haverá mais ou menos potências nucleares; mais facilidade para os terroristas conseguirem armas biológicas, químicas, radiológicas ou nucleares.
Arco de instabilidade espalha-se pelo Oriente Médio, Ásia e África.	Essa instabilidade precipitará eventos que levarão à queda de diversos regimes.
Não é provável que algum conflito deflagre uma guerra mundial.	Capacidade de administrar zonas de conflito e competição por causa de recursos.
Temas ambientais e éticos serão cada vez mais debatidos.	Novas tecnologias criam ou resolvem novos problemas éticos.
Os EUA continuam a ser o mais poderoso ator nos setores econômico, tecnológico e militar.	Outros países desafiarão Washington mais abertamente, caso os EUA percam a posição de líder científico e tecnológico.

Sumário executivo

Em nenhum outro momento, desde a formação do sistema de aliança ocidental, em 1949, a forma e a natureza dos alinhamentos internacionais passaram por mudanças tão intensas como agora. O fim da Guerra Fria alterou a paisagem política, mas a repercussão desse importante momento ainda está sofrendo desdobramentos. Potências emergentes na Ásia, retração na Eurásia, perturbação no Oriente Médio e outras questões globais estão entre as principais manchetes dos noticiários nos últimos anos. A magnitude e a velocidade das mudanças resultantes do processo de globalização serão características que definirão o mundo de 2020. Outras características significativas são o surgimento de novas potências, de novos desafios à governabilidade, bem como uma maior sensação de insegurança, principalmente em relação ao terrorismo. Conforme mapeamos o futuro, percebemos que as perspectivas para o aumento da prosperidade global e a tendência limitada de um grande conflito estabelecem um ambiente favorável para encarar os desafios que se apresentam. **O papel dos EUA será uma variável importante na forma como o mundo se comportará, influenciando o caminho que os países e os atores não-governamentais escolherão trilhar.**

Novos jogadores globais

A provável emergência da China e da Índia, bem como de outros países, como novos e importantes jogadores globais — situação semelhante ao advento da Alemanha unida, no século XIX, e da emergência dos EUA no início do século XX — transformará a paisagem geopolítica, trazendo impactos tão dramáticos como a entrada da Alemanha e dos EUA no cenário internacional nos dois últimos séculos. Da mesma forma que os analistas se referem ao século XX como "o século norte-americano", o século XXI pode ser visto como a vez da Ásia — com sua expansão liderada pela China e pela Índia. A combinação de alto crescimento econômico, maiores capacidades militares e grandes populações será a receita do rápido crescimento do poder político e econômico desses dois países.

- Muitas previsões indicam que, por volta de 2020, o PIB (Produto Interno Bruto) da China será maior que o de qualquer potência econômica ocidental, exceto o dos EUA. O PIB da Índia terá superado, ou estará superando, o das economias européias.
- Por causa do tamanho das populações da China e da Índia — cujas previsões feitas pelo US Census Bureau giram em torno de 1,4 e 1,3 bilhão de habitantes em 2020, respectivamente —, o padrão de vida nesses países não precisa se aproximar dos níveis ocidentais para que ambos se tornem importantes potências econômicas.

A não ser por uma abrupta reversão no processo de globalização ou por um grande problema nesses países, a emergência dessas novas potências é uma certeza. No entanto, a maneira como a China e a Índia exercerão seu poder e a forma como irão se relacionar com as potências no sistema internacional ainda são incertezas. As economias de países em desenvolvimento, como o Brasil, podem superar, por volta de 2020, a economia de todos os países europeus, exceto as maiores. A economia da Indonésia também pode se aproximar das economias européias em torno de 2020.

Considerando-se medidas como tamanho de mercado, moeda, mão-de-obra altamente capacitada, governos democráticos estáveis e bloco comercial unificado, a Europa será capaz de aumentar seu peso no cenário internacional. A força do continente europeu pode estar em prover um modelo de governabilidade global e regional para as potências emergentes. No entanto, a população idosa e a diminuição da mão-de-obra na maior parte dos países terão um importante impacto na região. Ou os países europeus irão adaptar sua força de trabalho, reformar sua previdência social, sistemas de educação e de tributação, bem como acomodar populações cada vez maiores de imigrantes (principalmente provenientes de países muçulmanos), ou terão de enfrentar um período de estagnação econômica.

O Japão enfrenta uma crise de envelhecimento da população semelhante à européia, que poderá prejudicar sua recuperação econômica a longo prazo. O país também terá de encarar o desafio de reavaliar seu *status* regional. Talvez Tóquio tenha de escolher entre "manter o equilíbrio" com a China ou "unir-se" a ela. Outra expectativa é de que a crise na Coréia do Norte estoure nos próximos 15 anos. Os ressentimentos asiáticos em relação à unificação coreana, aliados às tensões no estreito de Taiwan, apontam para um processo complicado para estabelecer o equilíbrio regional.

A Rússia tem potencial para aumentar seu papel internacional por conta da sua posição como grande exportador de gás e petróleo. Entretanto, o país enfrenta uma séria crise demográfica, resultado de poucos nascimentos, de serviços de saúde precários e da potencial explosão da AIDS. Ao sul, o país faz fronteira com regiões instáveis do Cáucaso e da Ásia Central, cujos efeitos — extremismo muçulmano, terrorismo, conflito endêmico — tendem a se alastrar pelo país. Enquanto esses fatores políticos e sociais limitam a possibilidade de a Rússia se tornar um grande jogador global, Moscou deve ser um importante parceiro tanto para as potências já estabelecidas — EUA e Europa — como para as emergentes, mais uma vez, China e Índia.

Com esses e com outros novos atores globais, **a maneira como imaginávamos o futuro até 2020 mudará radicalmente.** As potências "recém-chegadas" — China, Índia e talvez outras, como Brasil e Indonésia — têm os recursos necessários para tornar obsoletas as velhas divisões entre "Norte e Sul", "Oriente e Ocidente", "alinhados e não-alinhados", "desenvolvidos e não desenvolvidos". Cada vez mais os agrupamentos geográficos tradicionais perderão destaque nas relações internacionais. O perfil mundial tende a assumir características de um Estado internacional, com megacidades unidas por fluxos de telecomunicações, comércio e finanças. As competições por alianças serão mais abertas e menos fixas que no passado.

Impacto da globalização

Nós vemos a globalização — crescente interconexão refletida nos fluxos de informação, tecnologia, capital, bens, serviços e pessoas em todo o mundo — **como uma "megatendência", uma força tão ubíqua que, em 2020, dará forma a todas as outras grandes tendências mundiais.** Mas o futuro da globalização não é estático; Estados e atores não-governamentais — inclusive empresas privadas e ONGs — lutarão para concretizar seus objetivos. Alguns aspectos da globalização — como a crescente interconexão global resultante da revolução da TI (Tecnologia de Informação) — são quase certamente irreversíveis. Entretanto, também é possível, embora pouco provável, que o processo de globalização diminua seu ritmo ou até mesmo estacione, exatamente como ocorreu no final do século XIX e começo do século XX, quando a globalização foi revertida por causa de guerras catastróficas e da depressão global.

Se, porém, nenhum percalço acontecer, **a economia mundial tende a continuar crescendo fortemente: por volta de 2020, deverá ser 80% maior do que era em 2000, e a renda *per capita* média será cerca de 50% maior.** É claro que haverá altos e baixos, bem como períodos de crise financeira, a ser considerados, mas essa trajetória de crescimento possui um poderoso impulso por trás. A maioria dos países, tanto desenvolvidos como em desenvolvimento, será beneficiada com o crescimento da economia global. Por terem acesso aos mercados consumidores que crescem mais rapidamente, mais empresas se tornarão multinacionais. Nesse contexto, a Ásia tende a tomar o lugar dos países ocidentais como foco do dinamismo econômico internacional — desde que o rápido crescimento econômico da região continue nos passos que vemos hoje.

Entretanto, os benefícios da globalização não serão estendidos a todo o mundo. As potências emergentes verão a oportunidade oferecida pelos mercados globais como a melhor maneira de assegurar seu *status* no cenário mundial. No entanto, alguns países hoje pertencentes ao "Primeiro Mundo" poderão ver o crescimento da China, da Índia e de outras nações como uma evidência do seu relativo declínio, apesar de as atuais potências mundiais tenderem a continuar como líderes globais em 2020. Os EUA também terão sua posição no mundo relativamente desgastada, embora em 2020 devam continuar como o mais importante país em todas as dimensões do poder. As nações em desenvolvimento mais atrasadas podem se ressentir com o crescimento da Índia e da China, especialmente se forem pressionadas pelo crescente domínio desses dois países em setores-chave do mercado global. Grandes bolsões de pobreza continuarão a existir, até mesmo em países "vencedores".

Os grandes benefícios da globalização recairão sobre países e grupos que têm acesso a novas tecnologias. Na verdade, o desenvolvimento tecnológico será definido em termos dos investimentos que as nações fazem para *integrar e aplicar* as novas tecnologias globalmente disponíveis, sejam elas desenvolvidas por meio de pesquisas dentro do próprio país ou através de líderes tecnológicos. O crescimento do fluxo da produção de alta tecnologia entre os países em desenvolvimento e o Ocidente, o aumento da mão-de-obra qualificada em Informática em algumas nações emergentes e os esforços por parte das multinacionais para diversificar suas operações de alta tecnologia impulsionarão a disseminação de novas tecnologias. Novos avanços tecnológicos — como os organismos geneticamente modificados e o aumento na produção de alimentos — garantirão uma rede de segurança que eliminará a ameaça de fome e melhorará a qualidade de vida em países pobres. No entanto, a distância entre ricos e pobres aumentará, a não ser que os países pobres estabeleçam políticas que apóiem a aplicação de novas tecnologias, tais como governabilidade, educação universal e reformas de mercado.

Os países que estabelecerem essas políticas poderão saltar etapas de desenvolvimento, pulando fases que outros países com alta tecnologia, como os EUA e as nações européias, tiveram de passar para evoluir. **A China e a Índia estão bem posicionadas para se tornar líderes tecnológicos, e até mesmo os países mais pobres terão condições de acessar tecnologias profícuas e baratas — embora em um ritmo mais lento — para impulsionar seu próprio desenvolvimento.**

- A próxima revolução tecnológica que envolve nano e biotecnologia, bem como tecnologia da informação e de materiais, pode melhorar ainda mais as perspectivas da China e da Índia. Os dois países estão investindo em pesquisa nesses campos e têm condições de se tornar líderes em várias áreas-chave. A Europa corre o risco de perder terreno para a Ásia em algumas dessas tecnologias. Os EUA ainda estão em posição de conservar sua liderança, embora a competição com a Ásia tenda a aumentar, com chances de os norte-americanos perderem a corrida em alguns setores.

Mais empresas se tornarão multinacionais, e as que operam na arena global se tornarão mais diversificadas, tanto em relação ao seu

tamanho e origem, como em relação à sua cultura, uma vez que tendem a assumir uma feição mais asiática e menos ocidentalizada. Essas corporações, que englobarão as grandes multinacionais de hoje, estarão cada vez mais distanciadas do controle de qualquer país, e serão agentes importantes na dispersão de tecnologia, integrando ainda mais a economia mundial e promovendo o progresso econômico nos países em desenvolvimento. Suas filiais estarão em grande parte baseadas em países como China, Índia e Brasil. Apesar de América do Norte, Japão e Europa poderem continuar a dominar as instituições internacionais políticas e financeiras, a globalização deverá assumir um caráter cada vez menos ocidental. Por volta de 2020, a globalização poderia se igualar, na mente popular, à Ásia emergente, substituindo sua atual associação com a americanização.

A economia mundial em expansão aumentará a demanda por muitas matérias-primas, como petróleo. O consumo total de energia deverá aumentar em torno de 50% nas próximas décadas — quando comparado ao aumento de 34% entre 1980 e 2000 —, sendo o petróleo o grande responsável pela maior parte desse percentual. Grande parte dos especialistas entende que, com investimento substancial em novas capacidades, as reservas de energia serão suficientes para satisfazer a demanda global. No entanto, em relação aos fornecedores, muitas áreas — mar Cáspio, Venezuela e África Ocidental — que são essenciais para aumentar a oferta são arriscadas do ponto de vista político ou econômico. **Assim, a competição mais acirrada por recursos, talvez acompanhada por crises de fornecimento de petróleo, figura entre as principais incertezas dos próximos 14 anos.**

- A crescente necessidade de energia por parte da China, Índia e de outros países em desenvolvimento sugere um aumento da preocupação dessas nações com a energia, o que influencia a política exterior.

- Para a Europa, um aumento na preferência por gás natural reforça as relações regionais — com a Rússia e a África do Norte, por exemplo —, dada a interdependência dos países por onde passam os gasodutos.

Novos desafios à governabilidade

A nação-estado continuará a ser a unidade dominante da ordem global, mas a globalização econômica e a disseminação de tecnologias, especialmente das tecnologias da informação, significarão novas e grandes responsabilidades para os governos. A crescente conectividade será acompanhada de uma proliferação de comunidades virtuais de interesse comum, complicando a capacidade dos Estados de governar. A Internet, em particular, estimulará ainda mais a criação de movimentos globais, os quais podem emergir como uma força robusta nas relações internacionais.

Parte da pressão sobre a governabilidade virá de novas formas de identidade política centradas em convicções religiosas. Em um mundo de rápida globalização, que experimenta mudanças populacionais, as identidades religiosas geram seguidores com uma comunidade própria que atua como uma "rede de segurança social" em tempos de necessidade — particularmente importante para os migrantes. Em especial, o **Islã político terá um impacto global significativo em 2020, reunindo grupos étnicos e nacionais dispersos e talvez até mesmo criando uma autoridade que transcenda as fronteiras nacionais.** Uma combinação de fatores — aumento da população jovem em muitos Estados árabes, perspectivas econômicas pobres, influência da educação religiosa e islamização de instituições como uniões comerciais, ONGs e partidos políticos — assegurará que o Islã continue sendo uma grande força.

- Fora do Oriente Médio, o Islã político continuará a atrair os migrantes muçulmanos estabelecidos no Ocidente em busca de melhores oportunidades de emprego, mas que não se sentem em casa em uma cultura que percebem ser estranha e hostil.

Regimes que foram capazes de enfrentar os desafios da década de 1990 podem não ser bem-sucedidos em relação aos que se apresentarão em 2020. Forças contraditórias estarão em jogo: regimes autoritários enfrentarão novas pressões para se democratizar, mas novas e frágeis democracias podem não ter capacidade de adaptatação para sobreviver e se desenvolver.

A chamada "terceira onda" de democratização pode ser parcialmente revertida por volta de 2020 — em especial entre os países da ex-União Soviética e do Sudeste Asiático, alguns dos quais nunca adotaram realmente a democracia. Mas a democratização e o pluralismo podem se afirmar em países-chave do Oriente Médio, os quais foram excluídos do processo por regimes repressivos.

Com o aumento da migração em diversas partes do mundo — da África do Norte e do Oriente Médio para a Europa, da América Latina e Caribe para os EUA, e do Sudeste Asiático para regiões mais ao norte —, mais países serão multiétnicos e enfrentarão o desafio de integrar imigrantes nas suas sociedades, respeitando, ao mesmo tempo, suas próprias identidades étnicas e religiosas.

Os líderes chineses terão de acomodar pressões pluralistas para relaxar os controles políticos ou arriscar ter uma revolta popular em suas mãos se não o fizerem. Pequim pode tentar buscar uma "democracia asiática", que poderia incluir eleições em pleito local, e um mecanismo consultivo em âmbito nacional, talvez com o Partido Comunista retendo o controle sobre o governo central.

Com o sistema internacional passando por uma profunda mudança, algumas instituições encarregadas da administração de problemas globais podem ser solapadas. Instituições baseadas regionalmente terão de enfrentar as complexas ameaças transnacionais impostas pelo terrorismo, pelo crime organizado e pela proliferação de armas de destruição em massa.

A ONU (Organização das Nações Unidas) e as instituições financeiras internacionais, criadas depois da Segunda Guerra Mundial, correm o risco de se tornar obsoletas, a não ser que se ajustem às profundas mudanças que ocorrerão no sistema global, inclusive no tocante à emergência de novas potências.

Insegurança aguda

Prevemos um sentimento mais profundo de insegurança — que se baseia em percepções psicológicas tanto quanto em ameaças físicas — por volta de 2020. **Mesmo que a maior parte do mundo fique mais rica, a globalização vai balançar profundamente o *status quo*, gerando enormes convulsões econômicas, culturais e, conseqüentemente, políticas.** Com a gradual integração da China, da Índia e de outros países emergentes na economia global, centenas de milhões de trabalhadores estarão disponíveis para um mercado de trabalho mais integrado.

- Essa enorme oferta de mão-de-obra — grande parte da qual terá um nível de educação elevado — será uma fonte atraente e competitiva de trabalho barato, ao mesmo tempo que as inovações tecnológicas expandirão cada vez mais as profissões "móveis" no mundo todo.
- **A transição não será indolor e atingirá particularmente as classes médias dos países em desenvolvimento,** ocasionando um *turnover** mais rápido e exigindo reeducação profissional. A terceirização em grande escala fortalecerá o movimento antigloba-

* Termo usado em Recursos Humanos para indicar "giro de pessoal".

lização. O resultado dessas pressões dependerá de como os líderes políticos responderão, do quanto os mercados de trabalho se tornarão flexíveis e da robustez do crescimento econômico geral para absorver o crescente número de trabalhadores deslocados de seus empregos.

Governos fracos, economias atrasadas, extremismo religioso e movimentos juvenis se alinharão e criarão conflito interno em certas regiões. O número de conflitos internos diminuiu significativamente desde o final da década de 1980 e o começo da de 1990, quando o colapso da União Soviética e dos regimes comunistas da Europa central deflagrou conflitos étnicos e nacionalistas até então reprimidos. Embora tenha-se atingido certo equilíbrio, indicando uma menor expectativa de conflitos do que na década passada, a existência de Estados institucionalmente fracos e problemáticos aponta para a continuidade das tensões.

Alguns conflitos internos, particularmente os que envolvem grupos étnicos disputando fronteiras nacionais, podem se tornar conflitos regionais. No limite extremo, os conflitos internos podem comprometer a governabilidade dos países, com territórios e populações sem controle governamental efetivo. Tais territórios podem se tornar santuários para terroristas transnacionais (como a Al Qaeda no Afeganistão) ou cartéis criminosos ou de produção e tráfico de drogas (como na Colômbia).

A tendência de um conflito em grande escala se tornar uma guerra mundial nos próximos 14 anos é menor do que já foi em qualquer período do século passado; trata-se de uma época diferente dos séculos anteriores, quando conflitos locais deflagravam guerras mundiais. A rigidez dos sistemas de aliança antes da Primeira Guerra Mundial e durante o período entre guerras, bem como entre os dois blocos distintos que se formaram durante a Guerra Fria, garantiam virtualmente que pequenos conflitos fossem generalizados rapidamente. A crescente dependência de redes financeiras e comerciais globais ajuda a deter os conflitos entre nações, mas não elimina essa possibilidade. Se houver um conflito que envolva uma ou mais potências, as conseqüências serão significativas. A ausência de mecanismos de solução efetiva para os conflitos em certas regiões, a emergência do nacionalismo em alguns países e as emoções e tensões dos dois lados do problema — por exemplo, as tensões no Estreito de Taiwan ou entre a Índia e o Paquistão — podem, porém, contradizer essa previsão. Além do mais, os avanços em relação às armas — maior alcance, precisão e poder de destruição — criam circunstâncias que estimulam o uso da força militar.

Os países que atualmente possuem armas nucleares continuarão buscando ser os únicos a deter essa tecnologia e quase certamente melhorarão a confiabilidade, a precisão e o poder de destruição dos seus sistemas de defesa. A demonstração aberta de capacidade nuclear por parte de qualquer país desacreditará ainda mais a atual política de não-proliferação, causando uma possível mudança no equilíbrio de poder e aumentando o risco de deflagrar conflitos que poderão vir a ser nucleares. **Países sem armas nucleares — especialmente no Oriente Médio e no nordeste da Ásia — podem decidir desenvolvê-las caso fique claro que seus vizinhos e rivais regionais estão fazendo isso.** Além do mais, a ajuda de proliferadores reduzirá o tempo necessário para o desenvolvimento de armas nucleares.

A transformação do terrorismo internacional

Os principais fatores que criaram o terrorismo internacional não mostram sinais de desaparecer nos próximos 14 anos. Facilitado pelas comunicações globais cada vez melhores, o fortalecimento da identidade muçulmana criará uma estrutura para difundir a ideologia islâmica radical dentro e fora do Oriente Médio, principalmente no sudeste da Ásia, Ásia central e Europa Ocidental. Esse fortalecimento será acompanhado de um aprofundamento da solidariedade entre os muçulmanos, advindo de lutas separatistas nacionais ou regionais, como na Palestina, Chechênia, Iraque, Caxemira, Mindanao e sul da Tailândia, e surgirá em resposta à repressão, corrupção ou ineficiência dos governos. Redes informais de instituições de caridade, madrassas (escolas), *hawalas* (dentro do Islamismo são vetados os juros, daí eles terem esse sistema bancário específico) e outros mecanismos continuarão a proliferar e serão explorados por elementos radicais. A alienação entre os jovens desempregados inchará as fileiras de grupos terroristas.

Esperamos que, por volta de 2020, a Al Qaeda seja substituída por grupos islâmicos extremistas semelhantes, e há um risco substancial de que movimentos islâmicos semelhantes à Al Qaeda surjam dos movimentos separatistas locais. A tecnologia da informação, que permite conectividade instantânea, permitirá também a evolução de grupos ecléticos, bem como de células e indivíduos que não precisam de quartéis fixos para planejar e executar suas operações. Materiais de treinamento, orientação e informação sobre alvos, conhecimento de armamentos e levantamento de fundos se tornarão virtuais (isto é, poderão ser realizados *on-line*).

Os terroristas continuarão a empregar basicamente armas convencionais em seus atentados, incorporando novas tendências e se adaptando constantemente para burlar os esforços antiterroristas. Eles serão, provavelmente, mais originais, não em relação às tecnologias ou armas usadas, mas quanto aos seus conceitos operacionais — isto é, concepção, planejamento e logística dos ataques.

O forte interesse dos terroristas na aquisição de armas químicas, biológicas e nucleares aumenta o risco de grandes atentados envolvendo armas de destruição em massa. **Nossa maior preocupação é que os terroristas possam adquirir agentes biológicos ou — menos provável — armas nucleares, artefatos capazes de causar mortes em massa.** O bioterrorismo parece particularmente adequado a grupos menores e melhor informados. Também esperamos que os terroristas procurem realizar *cyber*-atentados, a fim de destruir redes de informações vitais e causar danos físicos a sistemas de informação.

Futuros possíveis

Nesta era de grandes transformações, vislumbramos diversas maneiras através das quais grandes mudanças globais podem tomar forma nos próximos 14 anos — de sérios desafios aos Estados-nações ao estabelecimento de uma globalização mais robusta e inclusiva. Neste relatório, desenvolvemos esses conceitos em quatro cenários fictícios, os quais foram extrapolados a partir das tendências-chave que aqui discutimos. **Esses cenários não devem ser entendidos como previsões reais,** mas descrevem mundos possíveis, cujos limiares poderemos cruzar, dependendo das tendências:

- **O Mundo de Davos** é uma ilustração de como um robusto crescimento econômico, liderado pela China e pela Índia, pode reformatar o processo de globalização nos próximos 14 anos, nela imprimindo uma face menos ocidental e transformando o palco de atuação política.
- **A *Pax* Americana** observa como a predominância dos EUA pode sobreviver às mudanças radicais no cenário político global, e de que maneira pode servir para modelar uma ordem global nova e inclusiva.

- **O Novo Califado** fornece um exemplo de como um movimento global movido por uma identidade religiosa radical pode ser um desafio às normas e valores ocidentais que servem de base a um sistema mundial.
- **O Ciclo do Medo** é uma visão de como a preocupação com a proliferação pode crescer a um ponto em que medidas intrusivas de segurança serão tomadas em larga escala para evitar a ocorrência de atentados mortais, possivelmente dando início a um mundo orwelliano.

É claro que esses cenários ilustram apenas algumas poucas possibilidades que podem se desenvolver nos próximos 14 anos, mas o amplo espectro de possibilidades que podemos imaginar sugere que esse período será caracterizado por um maior dinamismo, particularmente em contraste com a dinâmica relativamente estática dos tempos da Guerra Fria. Os cenários não são exclusivos: poderemos ver dois ou três deles combinados.

Implicações políticas

Os EUA serão um importante formador da ordem internacional em 2020. Washington será cada vez mais confrontado com o desafio de administrar — a um custo aceitável — as relações com a Europa, a Ásia, o Oriente Médio e outras regiões. **Embora os desafios sejam difíceis, os EUA terão grandes vantagens, exercendo um papel central em várias áreas — econômica, tecnológica, política e militar —, papel esse que nenhum país terá condições de assumir por volta de 2020.**

Algumas tendências incluem relações e alianças dramaticamente alteradas com a Europa e a Ásia, regiões que formaram a pedra fundamental do poder norte-americano no período posterior à Segunda Guerra Mundial. A UE (União Européia), e não a OTAN (Organização do Tratado do Atlântico Norte), se tornará cada vez mais a instituição mais importante da Europa, e o papel que os europeus determinarem para si será, provavelmente, projetado por essa instituição. A relação EUA-Ásia deverá ser mais desafiadora para Washington, por causa do grande movimento social resultante do surgimento de dois novos gigantes políticos e econômicos mundiais que ainda deverão ser integrados à ordem mundial. Essa relação depende mais da forma como os asiáticos se acomodarão à nova situação do que das ações de Washington propriamente ditas.

Conforme as redes comerciais globais se aprofundarem, a economia dos EUA se tornará mais vulnerável às flutuações das economias de outros países. A dependência norte-americana do suprimento de petróleo estrangeiro também tornará o país mais vulnerável à medida que cresce a competição pelo acesso aos fornecedores e aumentam os riscos de crise no fornecimento de petróleo.

Embora nenhum outro país chegue perto de rivalizar o poderio militar norte-americano em 2020, mais nações estarão em posição de fazer os EUA pagar um alto preço pelas ações militares que vierem a realizar — isso se se opuserem a tais ações. A posse de armas biológicas, químicas ou nucleares por parte do Irã e da Coréia do Norte, bem como a possível aquisição dessas armas por outros atores por volta de 2020, **também aumenta o custo potencial de qualquer ação militar por parte dos norte-americanos.**

O sucesso da campanha contra-terrorismo liderada pelos EUA dependerá das capacidades e decisões de outros países de combater o terrorismo em seu próprio território. As ações de contra-terrorismo nos próximos anos — contra diversas organizações, que estarão ligadas mais por ideologia do que por elos geográficos — serão mais difíceis que o combate concentrado a uma organização em especial, como a Al Qaeda. **Uma estratégia contra-terrorista que aborde**

o problema em múltiplas frentes oferece maiores chances de conter — e efetivamente reduzir — a ameaça terrorista. O desenvolvimento de representações e sistemas políticos mais abertos, de maiores oportunidades econômicas, bem como o aumento de poder dos reformadores muçulmanos, serão vistos positivamente pela comunidade islâmica, uma vez que esta não apóia os objetivos radicais dos extremistas muçulmanos.

Mesmo que o número de extremistas diminua, a ameaça terrorista deve continuar. A rápida dispersão de armas biológicas e de outras tecnologias letais aumenta o potencial de indivíduos não-filiados a qualquer grupo terrorista de causar grande número de vítimas. Apesar dos novos avanços tecnológicos que permitirão "rastrear terroristas", será mais fácil para o atacante cumprir sua meta do que para os encarregados da defesa, pois estes precisam se preparar para uma vasta gama de possibilidades de ataque. Caso um acordo de paz não possa ser negociado, os EUA continuarão a ser chamados para interceder em conflitos como os da Palestina, da Coréia do Norte, de Taiwan e da Caxemira, a fim de assegurar que não sairão de controle. Entretanto, os cenários e tendências que aqui analisamos sugerem a possibilidade de aumento da contribuição dos novos jogadores para com a segurança global, ajudando a diminuir a responsabilidade dos EUA.

Nos próximos 14 anos, a crescente importância de temas éticos, novos e velhos, tem o potencial de dividir a opinião pública mundial e desafiar a liderança norte-americana. Esses temas incluem o problema ambiental e climático, direitos de propriedade, clonagem e biotecnologia, direitos humanos, leis internacionais e o papel de instituições multilaterais. Os EUA terão de combater a opinião pública mundial, que tem mudado dramaticamente desde o fim da Guerra Fria. Alguns dos atuais antiamericanismos tendem a diminuir à medida que a globalização for assumindo um rosto menos ocidental. Ao mesmo tempo, a nova geração de líderes — diferentemente do que aconteceu no período pós-Segunda Guerra Mundial — não identifica os EUA como seu "libertador", uma vez que está mais inclinada a divergir da posição de Washington sobre uma série de temas.

Os EUA terão, porém, muitas oportunidades para ampliar suas vantagens, particularmente na formação de uma nova ordem mundial que integrará regiões díspares e reconciliará interesses divergentes.

Introdução

A ordem mundial está no meio de uma mudança profunda: em nenhum outro momento, desde a formação do sistema de aliança ocidental em 1949, a forma e a natureza dos alinhamentos internacionais estiveram em um estado tão convulsivo quanto na última década. Como resultado, o mundo de 2020 será marcadamente diferente do mundo de 2004*, e nos próximos anos os EUA enfrentarão grandes desafios internacionais, os quais serão significativamente diferentes dos desafios que encaram hoje. A própria magnitude e velocidade da mudança resultante de um mundo globalizado — sem considerar seu caráter exato — será uma característica determinante do mundo de 2020. Outras características significativas são:

- as contradições da globalização;
- potências emergentes: a mudança da paisagem geopolítica;
- novos desafios à governabilidade;
- um sentimento de insegurança mais profundo.

* N. do E.: Esse relatório foi publicado originalmente em dezembro de 2004.

Conforme já aconteceu com outros movimentos sociopolíticos, as sementes das mudanças brotam das tendências que são visíveis hoje. Permeando as características gerais listadas acima, há várias tendências específicas que se sobrepõem e se influenciam:

- a economia global em expansão;
- o passo acelerado da mudança científica e a dispersão de tecnologias;
- desigualdades sociais permanentes;
- o fenômeno do envelhecimento da população global;
- o retrocesso da democracia;
- a expansão da ideologia islâmica radical;
- o potencial do terrorismo catastrófico;
- a proliferação de armas de destruição em massa;
- a pressão cada vez maior sobre as instituições internacionais.

De acordo com as pesquisas realizadas sobre os próximos 14 anos, o papel dos EUA será uma variável importante na maneira como o mundo virá a ser, influenciando a trilha que os atores — sejam eles países ou não — escolherão seguir. Além do papel central dos EUA, órgãos como organizações internacionais, empresas multinacionais, ONGs etc. poderão mitigar tendências claramente negativas, como o problema da insegurança, por exemplo, e fazer avançar possibilidades positivas.

Mapeando o futuro global

A maneira como imaginamos o mundo será diferente em 2020. Agrupamentos geográficos tradicionais terão cada vez menos importância nas relações internacionais. Desde o final da Guerra Fria, os estudiosos vêm questionando a utilidade do conceito Oriente *versus* Ocidente, que emergiu no final dos anos 1940, bem como a justificativa intelectual do envolvimento norte-americano na Europa. O conceito de Eurásia suplantando a ex-União Soviética parece ser irrelevante pois muitos membros da antiga nação soviética seguem seus próprios rumos, e a perspectiva de Moscou assumir o controle novamente parece improvável. A utilidade do Ocidente como conceito tem sido questionada pela crescente divisão filosófica entre os EUA e a Europa Ocidental, por conta da soberania, do multilateralismo e do crescente poder no cenário mundial de potências tradicionalmente não-ocidentais.

Da mesma forma como acontecerá com a divisão Oriente-Ocidente, a tradicional linha entre o norte e o sul poderá não ser um conceito significativo no mundo de 2020, por conta da globalização e da esperada emersão da China e da Índia, países que têm sido considerados parte do "sul" por causa dos seus níveis de desenvolvimento. Temas tradicionais abrangendo a desigualdade, o comércio e o progresso social entre o norte e o sul certamente continuarão a ser debatidos, mas alguns países que estão se desenvolvendo de maneira bastante rápida provavelmente estarão entre os pesos-pesados econômicos, ou seja, os "países ricos". Eles não serão "ocidentais" no sentido tradicional, mas também não poderão ser vistos como representantes das nações subdesenvolvidas ou em desenvolvimento. A China, em particular, poderá recuperar seu grande poder histórico, depois de séculos de declínio.

Outras divisões além das econômicas poderão contribuir para dar forma ao mundo de 2020. Prevemos que o papel da religião, no sentido de definir a identidade de grupos e pessoas, será acentuado. Em muitas sociedades, as divisões entre grupos religiosos e dentro deles podem se tornar verdadeiras fronteiras, tão importantes quanto as fronteiras nacionais. Vislumbramos que a divisão entre o Cristianismo e o Islamismo no sudeste da Ásia, entre as comunidades xiita e sunita, e nas ilhas étnicas e religiosas potencialmente problemáticas da Europa, Rússia e China, serão uma característica proeminente do cenário mundial de 2020.

Um conceito atual que ainda poderá continuar em 2020 é o do arco de instabilidade que se estende do Sudeste Asiático, onde possivelmente existem grupos islâmicos radicais e terroristas, até a Ásia central, onde percebemos a possibilidade do surgimento de Estados não-democráticos. Esse arco inclui muitos países do Oriente Médio e da África, alguns dos quais estarão muito atrasados economicamente ou terão apenas começado a participar da economia global. Acima de tudo, a globalização terá substituído a divisão antes existente entre o Ocidente industrializado, o Oriente comunista e o Terceiro Mundo em desenvolvimento e não alinhado. Em vez disso, haverá novos alinhamentos entre esses países, ou até mesmo entre regiões desses países, que estão se integrando à comunidade global, e os que não estão no mesmo caminho por motivos econômicos, políticos ou sociais. Para as megacidades, que são o motor da globalização, os elos financeiros e de telecomunicações que forjarão entre si podem pesar muito mais que as fronteiras nacionais.

As contradições da globalização

A globalização — a crescente inter-relação refletida nos fluxos de informação, tecnologia, capital, bens, serviços e pessoas em todo o mundo — é uma "megatendência", uma força tão poderosa que definirá todas as grandes tendências do mundo em 2020.

> "(Por volta de 2020) a globalização deverá assumir um rosto cada vez menos ocidental..."

O alcance da globalização foi ampliado de maneira significativa nos últimos 20 anos por conta da liberalização econômica chinesa e indiana, do colapso da União Soviética e da revolução da tecnologia da informação em âmbito mundial. Nos próximos 14 anos, ela sustentará o crescimento econômico mundial, aumentará o padrão de vida das pessoas e aprofundará substancialmente a interdependência global. Ao mesmo tempo, abalará profundamente o *status quo* em quase todos os lugares, gerando enormes convulsões econômicas, culturais e, conseqüentemente, políticas.

Certos aspectos da globalização, como a crescente interconexão global derivada da revolução da tecnologia da informação, tendem a ser irreversíveis. A comunicação em tempo real, que tem transformado a política em quase todo o mundo, é um fenômeno que até mesmo regimes repressivos têm dificuldades de expurgar.

Será difícil, também, interromper o fenômeno de interdependência econômica, embora o ritmo da expansão da economia global possa refluir. A interdependência aumentou a abrangência eficiente dos negócios multinacionais, permitindo que empresas pequenas, bem como as grandes multinacionais, realizem negócios além de suas fronteiras.

No entanto, o processo de globalização, poderoso como é, pode ser desacelerado significativamente, ou até mesmo revertido, pela guerra e depressão global — como ocorreu na era da globalização do final do século XIX e começo do século XX. Algumas características que associamos com a globalização da década de 1990 — como a liberalização econômica e política — estão sujeitas a progredir "aos trancos e barrancos", e dependerão, provavelmente, do progresso de negociações multilaterais, da melhoria na governabilidade nacional e da redução de conflitos. O livre fluxo de pessoas através das fronteiras nacionais continuará a enfrentar obstáculos políticos e sociais, mesmo havendo grande necessidade de trabalhadores migrantes.

"A Índia e a China provavelmente estarão entre os pesos-pesados econômicos, ou 'países ricos'."

Como seria a cara da globalização com um rosto asiático?

A Ásia emergente continuará a modificar a forma da globalização, conferindo-lhe um caráter menos *made in USA* e mais próximo das feições e sentimentos asiáticos. Ao mesmo tempo, a Ásia mudará as regras do processo de globalização. Como possuem os mercados consumidores que crescem mais rapidamente, mais empresas orientais se tornarão multinacionais, e haverá avanços em termos de ciência e tecnologia, criando uma tendência favorável para a Ásia desbancar os países ocidentais como foco do dinamismo econômico internacional — desde que o rápido crescimento econômico do continente continue.

Os ministros da Fazenda asiáticos têm considerado a criação de um fundo monetário na região, que operaria em linhas diferentes das do FMI, com menos controle sobre as variações das moedas locais e dando aos tomadores de decisões políticas asiáticos mais liberdade para se afastar do "consenso macroeconômico de Washington".

- Em termos de fluxo de capital, a Ásia emergente ainda pode acumular grandes reservas monetárias — atualmente, U$ 850 bilhões no Japão, U$ 500 bilhões na China, U$ 190 bilhões na Coréia e R$ 120 bilhões na Índia, ou, conjuntamente, três quartos das reservas globais —, mas o percentual em dólares cairá. Reservas em moedas locais — como o iene (Japão), o renminbi (China) e talvez a rúpia (Índia) — provavelmente se tornarão praxe.
- As decisões dos bancos centrais asiáticos em relação à taxa de juros irão causar impacto nos outros mercados financeiros globais, inclusive nos de Nova Iorque e Londres, e os resultados das bolsas de valores asiáticas se tornarão cada vez mais uma referência global para administradores de portfólio.

Conforme os governos destinam mais recursos para pesquisa e desenvolvimento básicos, a Ásia emergente continuará a atrair tecnologia aplicada de todo o mundo, inclusive de ponta, o que deve impulsionar a eficiência de seus setores. Já previmos anteriormente que os gigantes asiáticos poderão usar o poder dos seus mercados para estabelecer padrões industriais, em vez de adotar os padrões promovidos pelos países ocidentais ou por órgãos internacionais de padronização. Os IPR (Intellectual Property Rights, ou Direitos Internacionais de Propriedade Intelectual) serão intensamente modelados por práticas legais estabelecidas no sul e no leste da Ásia.

A participação da mão-de-obra asiática na economia global crescerá, especialmente a chinesa, a indiana e a indonésia, e trará fortes conseqüências, possivelmente acarretando migrações internas e de regiões próximas. Seja como for, terá um grande impacto, determinando o tamanho relativo das novas "megacidades" mundiais e, talvez, atuando como uma variável-chave para a estabilidade/instabilidade da região nas próximas décadas. Dependendo da intensidade com que essas grandes ondas migratórias ultrapassarem as fronteiras nacionais — atualmente, apenas uma fração minúscula dos cem milhões de migrantes chineses termina no exterior —, elas poderão ter grandes repercussões em outras localidades, inclusive na Europa e na América do Norte.

O mais profundo efeito da emergência da Ásia pode ser uma identidade cultural centrada no caráter asiático. Os asiáticos já começam a reduzir o percentual de estudantes que viajam para a Europa e para os EUA, conforme o Japão e a China se tornam pólos educacionais. Uma nova identidade cultural mais asiática deverá se disseminar rapidamente, à medida que a renda aumentar e as redes de comunicação se alastrarem. Os cantores pop coreanos já são sucesso no Japão, os desenhos animados japoneses conquistam milhares de fãs na China, e filmes de kung-fu chineses são assistidos em toda a Ásia. Até mesmo Hollywood já começou a refletir essas influências asiáticas — uma tendência que deve se acelerar até 2020.

O caráter da globalização provavelmente mudará, da mesma forma que o Capitalismo mudou ao longo dos séculos XIX e XX. Apesar de hoje os países mais avançados — especialmente os EUA — serem importantes forças impulsionadoras de capital, tecnologia e bens, a globalização deve assumir um "rosto não-ocidental" durante os próximos 14 anos.

- Grande parte do aumento da população e da demanda mundiais até 2020 ocorrerá em países hoje em desenvolvimento — em especial China, Índia e Indonésia — e as multinacionais dos países atualmente desenvolvidos adaptarão seus "perfis" e práticas de negócios às demandas dessas culturas.
- As corporações, capazes de difundir a tecnologia e promover o progresso nos países em desenvolvimento, já estão buscando se tornar "cidadãs" ao permitir práticas não-Ocidentais nos locais onde operam. As corporações estão dispostas a tornar a globalização mais palatável para as pessoas preocupadas em preservar culturas exclusivas.
- Novas corporações, oriundas de países cujo progresso foi impulsionado pela globalização, farão sua presença ser sentida globalmente por meio de comércio e de investimentos exteriores.
- As nações que foram beneficiadas e que conquistaram posições de destaque buscarão mais poder nos órgãos internacionais e maior influência para ditar "as regras do jogo".
- Em nossas pesquisas, muitos especialistas estrangeiros observaram que, enquanto a opinião pública em seus países concorda com os benefícios materiais da globalização, ao mesmo tempo se opõe à perceptível "americanização", que os cidadãos vêem como uma ameaça aos seus valores culturais e religiosos. A associação da globalização a valores norte-americanos tem alimentado o antiamericanismo em algumas partes do mundo.

"... a economia global deve ser 80% maior em 2020 do que era em 2000, e a renda *per capita* média deve ser em torno de 50% maior."

Atualmente, cerca de 2/3 da população mundial vive em países vinculados à economia global. Mesmo em 2020, porém, os benefícios da globalização não serão globais. Nos próximos 14 anos, as distâncias entre os países beneficiados econômica, tecnológica e socialmente pela globalização e os países subdesenvolvidos — ou os bolsões de subdesenvolvimento dentro desses países — aumentará. De fato, vislumbramos os próximos 14 anos como um período em que as percepções das contradições e incertezas de um mundo globalizado serão muito mais debatidas do que hoje.

Uma economia global integradora em expansão

A economia global deve ser 80% maior em 2020 do que era em 2000, e a renda *per capita* média deve ser em torno de 50% maior. Muitas partes do mundo vivenciarão uma prosperidade sem precedentes, e uma classe média "numericamente" maior será criada pela primeira vez em algumas nações até então pobres. As estruturas sociais nos países em desenvolvimento serão transformadas, de acordo com o aumento da classe média ocasionado pelo crescimento. Há potencial a longo prazo, desde que a expansão continue, para que mais países tradicionalmente pobres venham a fazer parte do círculo da globalização.

O que pode impedir a globalização?

O processo de globalização, poderoso como é, pode ser substancialmente desacelerado ou até mesmo interrompido. Além de um grande conflito global, algo que consideramos improvável, outro desenvolvimento em grande escala que poderia **interromper** a globalização seria uma pandemia. Entretanto, outros eventos catastróficos, como atentados terroristas, também podem desacelerar o processo.

Alguns especialistas acreditam que é apenas uma questão de tempo até que surja uma nova pandemia, como o vírus da gripe espanhola que matou aproximadamente 20 milhões de pessoas em todo o mundo entre 1918 e 1919. Tal pandemia em megacidades dos países em desenvolvimento com sistemas de saúde pública precários — como África subsaariana, China, Índia, Bangladesh ou Paquistão — seria devastadora e poderia se espalhar rapidamente por todo o mundo. A globalização seria ameaçada se o número de mortes chegasse a milhões em vários países importantes, e se a transmissão da doença interrompesse as viagens e o comércio internacionais durante um longo período, obrigando os governos a gastar grandes somas em setores de saúde abalados. Porém, do lado positivo, a resposta ao SARS demonstrou que os mecanismos de vigilância e de controle internacionais estão se tornando mais aptos no sentido de conter as doenças — e o desenvolvimento de novos produtos em Biotecnologia prometem uma melhoria continuada nesse aspecto.

Um decréscimo no ritmo da globalização poderia vir de um **profundo sentimento de insegurança econômica e física**, algo que levaria os governos a controlar fluxo de capital, bens, pessoas e tecnologias, aspectos cruciais do crescimento econômico. Essa situação poderia acontecer como resposta a atentados terroristas que vitimariam dezenas ou centenas de milhares de pessoas em diversas cidades norte-americanas ou européias, ou então, como reação a *cyber*-atentados às tecnologias da informação. O controle nas fronteiras e as restrições à troca de tecnologias aumentariam os custos das transações econômicas e prejudicariam a introdução de inovações e do crescimento econômico. Outras conseqüências que poderiam estimular políticas restritivas semelhantes incluem uma resistência popular à globalização, ocasionada, talvez, pela rejeição por parte de executivos à terceirização de sua produção em países pobres — e/ou pela resistência nos países pobres, cuja população veja a si mesma como vítima da globalização.

A maioria das projeções até 2020 — e além — continua a mostrar um crescimento anual mais elevado em países em desenvolvimento do que nos países ricos. Nações como China e Índia estarão em posição de atingir um crescimento econômico maior que o da Europa e do Japão, cuja mão-de-obra cada vez mais velha pode inibir seu crescimento. Por conta de sua enorme população, o valor em dólar do PIB da China pode ser o segundo maior do mundo em 2020. Por motivos semelhantes, o resultado positivo da balança comercial da

Crescimento do PIB *per capita* da China e da Índia *versus* o dos EUA

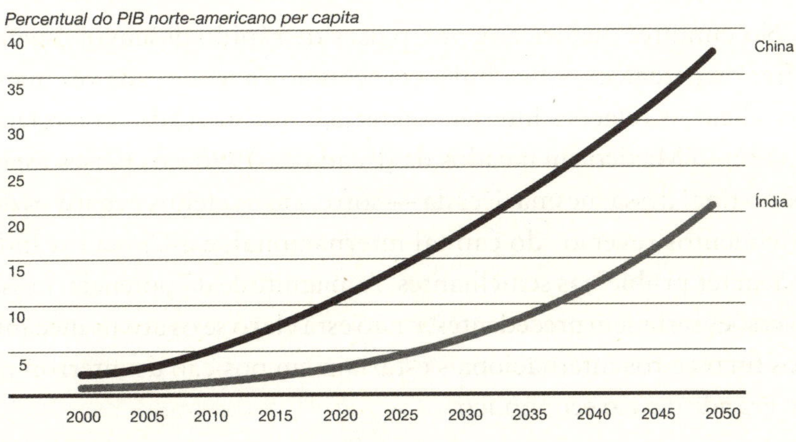

Fonte: Goldman Sachs.

Índia poderá se equiparar ao dos maiores países europeus. As economias de outros países em desenvolvimento, como as do Brasil e da Indonésia, por exemplo, podem ultrapassar em 2020 todas as economias européias, exceto as dos maiores países*.

- Mesmo com todo o seu crescimento dinâmico, os "gigantes" asiáticos e de outros lugares não tendem a ser comparados qualitativamente às economias dos EUA ou de alguns dos outros países ricos. Eles garantirão alguns setores dinâmicos dentro do quadro mundial, mas a maior parte da sua população trabalhará em fazendas, seus estoques de capital serão menos sofisticados e seus sistemas financeiros tenderão a ser menos eficientes que os de outros países ricos.

Turbulência econômica continuada

As elevadas taxas de alto crescimento têm precedentes históricos. A China tem tido, nas duas últimas décadas, taxas de crescimento de 7% e até mesmo maiores, e Japão, Coréia do Sul e Taiwan conseguiram atingir, no passado, taxas anuais de cerca de 10% durante um longo período.

No entanto, historicamente, países de rápido desenvolvimento sofreram percalços, e a turbulência econômica tende cada vez mais a prejudicar as relações internacionais. Muitos mercados emergentes — como o México em meados da década de 1990 e os países asiáticos no final dessa mesma década — sofreram os efeitos negativos dos movimentos reversos do capital internacional, e a China e a Índia podem ter problemas semelhantes. A magnitude do potencial dessas reversões seria sem precedentes, e não está claro se os atuais mecanismos financeiros internacionais estariam em posição de interromper um grande desvio econômico.

* De acordo com *Dreaming with the BRICS*, estudo da Goldman Sachs de outubro de 2003.

Quando os PIBs da China e da Índia excederão os dos atuais países ricos

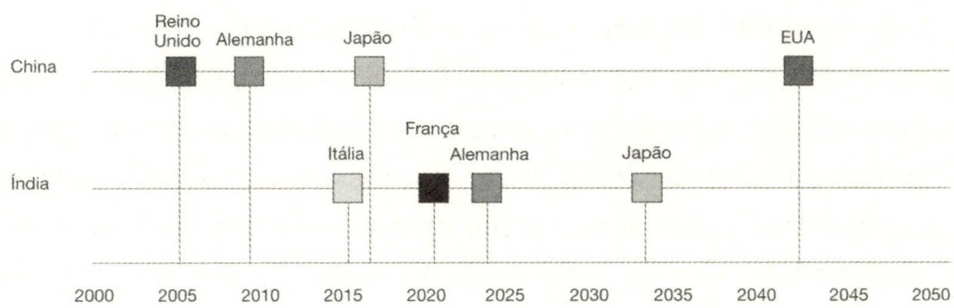

Fonte: Goldman Sachs, Global Economics Paper nr. 99, outubro de 2003

"A pressão da concorrência forçará as empresas baseadas nas economias avançadas a '**terceirizar**' muitos cargos de executivos e operários."

Com a gradual integração da China, da Índia e de outras nações em desenvolvimento na economia global, centenas de milhões de trabalhadores participarão do que já está se tornando, através dos fluxos de comércio e de investimentos, um mercado de trabalho mundial mais inter-relacionado. Os padrões globais de produção, comércio, emprego e salários serão transformados.

- Essa enorme força de trabalho — da qual grande parte terá alto nível de escolaridade — será uma fonte de trabalho barata, atrativa e competitiva, ao mesmo tempo que as inovações tecnológicas estão expandindo o universo das profissões globalmente móveis.

- A competição entre esses trabalhadores aumentará a produtividade, demandando aperfeiçoamento dos profissionais e restringindo o aumento de salários em algumas profissões.

As conseqüências dessa pressão do mercado de trabalho irão depender da resposta dos líderes políticos e formadores de medidas políticas. Contra a crise causada por uma recessão global, esses líderes poderão tomar medidas protecionistas. Entretanto, desde que haja crescimento econômico e um mercado de trabalho flexível, a competição internacional não tende a causar "perda" empregatícia "líquida" nas economias avançadas.

- Por exemplo, o grande número de novos empregos no setor de novos serviços que será criado na Índia e em outros lugares do mundo em desenvolvimento deve exceder a necessidade de trabalhadores com esses conhecimentos específicos nas economias avançadas.
- A rotatividade dos empregos nas economias avançadas continuará a ser impulsionada mais pelas mudanças tecnológicas e pelas vicissitudes da competição doméstica do que pela concorrência internacional.

Mobilidade e retardatários. Embora o padrão de vida de muitas pessoas nos países em desenvolvimento e subdesenvolvidos tenda a aumentar nos próximos 14 anos, a renda *per capita* na maioria desses países não será comparável à do Ocidente em 2020. Continuará a haver grande número de pobres, até mesmo nas economias emergentes que estão crescendo rapidamente — a proporção que a classe média representará nesses países tende a ser significativamente menor que as atuais classes médias das nações desenvolvidas. Especialistas estimam que, depois de 2020, levaria mais 30 anos para a renda *per capita* da China atingir os atuais percentuais das economias desenvolvidas.

- Um estudo estima que mesmo que a classe média chinesa representasse 40% da sua população em 2020 — o dobro do que é agora —, ainda assim estaria abaixo dos 60% dos EUA. Além disso, a renda *per capita* da classe média chinesa seria significativamente menor que a das classes médias dos países ocidentais.
- Na Índia, estima-se que hoje haja 300 milhões de trabalhadores de classe média que ganham entre 2 mil e 4 mil dólares por ano. Tanto esse número quanto os ganhos desses trabalhadores tendem a crescer rapidamente, mas seus salários continuarão a ser substancialmente menores que as médias dos EUA e de outros países ricos, mesmo em 2020.
- No entanto, uma renda anual de 3 mil dólares é considerada suficiente para impulsionar a aquisição do carro de passeio na Ásia. Assim, o rápido aumento dos índices salariais para uma **classe média cada vez maior** implicará uma gigantesca explosão de consumo, o que já é evidente.

O aumento da renda e as disparidades regionais não serão incompatíveis com uma classe média crescente e com uma maior riqueza geral. Na Índia, apesar de grande parte das regiões oeste e sul virem a ter uma classe média maior por volta de 2020, várias regiões, como Bihar, Uttar Pradesh e Orissa continuarão subdesenvolvidas.

Os países não-vinculados à economia mundial continuarão a sofrer. Até mesmo as projeções mais otimistas admitem que o crescimento econômico impulsionado pela globalização empobrecerá muitas nações nos próximos 14 anos.

- Os cenários projetados pelo Banco Mundial indicam, por exemplo, que a África subsaariana continuará muito atrasada — mesmo nos cenários mais otimistas. Atualmente, a região tem a maior proporção de pessoas vivendo com menos de 1 dólar por dia.

Se os problemas da pobreza crônica e de maus governos em países problemáticos da África subsaariana, Eurásia, Oriente Médio e América Latina persistirem, essas áreas tenderão a se tornar um terreno fértil para o terrorismo, o crime organizado, e para as pandemias. A migração forçada também tende a ser uma importante conseqüência desse tipo de problema nessas áreas. A comunidade internacional deverá encarar dilemas quanto à maneira de intervir nesses problemas, a que custo intervir e até "se" deverá mesmo intervir.

> "... os maiores benefícios da globalização irão para países e grupos que podem acessar e adotar novas tecnologias."

A revolução tecnológica

A tendência da rápida difusão de tecnologia em âmbito global continuará, embora a revolução tecnológica não venha a beneficiar a todos igualmente.

- Entre os impulsionadores da crescente disponibilidade de tecnologia estarão o fluxo de cérebros entre os países em desenvolvimento e o Ocidente, uma maior mão-de-obra tecnologicamente treinada em alguns países em desenvolvimento e os esforços de empresas multinacionais no sentido de diversificar suas operações de alta tecnologia.

Novas aplicações tecnológicas proporcionarão grandes melhorias ao conhecimento humano e ao bem-estar individual. Esses benefícios incluem avanços médicos que podem curar ou mitigar algumas doenças comuns e aumentar a longevidade, tecnologias que aumentam a produção de alimentos e de água potável, bem como a expansão das comunicações sem fio e de tecnologias de tradução de idiomas que facilitarão as relações comerciais, sociais e até mesmo políticas.

As tendências tecnológicas serão marcadas não apenas por acelerar os avanços das tecnologias individuais, mas também por uma força multiplicadora de convergência de tecnologias — de informação, biológica, de materiais e Nanotecnologia — que têm potencial para revolucionar todas as dimensões da vida. Materiais com sensores desenvolvidos pela Nanotecnologia produzirão uma miríade de aparelhos que melhorarão a saúde e alterarão as práticas e modelos comerciais. Esses materiais fornecerão conhecimentos sobre o meio-ambiente, melhorarão a segurança e reduzirão a privacidade. Tal interação de tendências tecnológicas — combinadas a melhores métodos de manufatura e equipamentos, bem como a tecnologias de energia, água e transporte — ajudarão a China e a Índia a se tornarem parte do "Primeiro Mundo". Os dois países estão investindo em pesquisa básica nesses campos e estão bem colocados para liderar vários deles. A Europa corre o risco de ficar atrás da Ásia na criação de algumas dessas tecnologias. Os EUA ainda estão numa posição de conservar sua liderança geral, embora devam competir cada vez mais com a Ásia e possam perder terreno em alguns setores.

Países emergentes e/ou em desenvolvimento receberão espólios tecnológicos

A distância entre os países ricos e pobres deve aumentar, uma vez que os maiores benefícios da globalização irão para os países e grupos que podem acessar e adotar novas tecnologias. De fato, o potencial de conquistas tecnológicas de um país será definido em termos de investimento no sentido de **integrar e aplicar** as novas tecnologias disponíveis globalmente — sejam elas adquiridas através de pesquisa desenvolvida no próprio país ou por meio de líderes tecnológicos. As nações que ficarem para trás na adoção de tecnologias tendem a ser as que fracassaram anteriormente na aplicação de políticas que estimulem o uso de novas tecnologias — tais como bom governo, educação universal e reformas de mercado — e não por serem simplesmente pobres.

Os países que adotarem essas políticas podem pular etapas de desenvolvimento, evitando fases que outros líderes tecnológicos, como EUA e Europa, tiveram de passar. A China e a Índia, como já foi dito, estão bem posicionadas para conquistar esse progresso, mas até mesmo os países mais pobres poderão adquirir tecnologias baratas e profícuas para impulsionar — embora num ritmo menor — seu desenvolvimento.

- À medida que países como China e Índia tomam a frente nos campos da Ciência, Engenharia e pesquisa, e fazem outros investimentos de infra-estrutura, eles avançarão consideravelmente na fabricação e comercialização de toda uma gama de aplicações tecnológicas — de *softwares* a produtos farmacêuticos e sensores sem fio.

Rápidos avanços tecnológicos fora dos EUA podem permitir que outros países definam as regras dos planos, projetos e implementações, bem como de segurança de informação e de DPI (Direitos de Propriedade Intelectual).

- Na realidade, a aplicação dos DPI já está acontecendo e trará enormes mudanças. Países como China e Índia, por conta do poder de compra dos seus gigantescos mercados, serão capazes de dar forma à implementação de algumas tecnologias e "pisar" na propriedade intelectual de outros. A atração desses grandes mercados levará as grandes multinacionais a inspecionar desvios nos DPI que afetem minimamente seu lucro líquido. Além disso, como muitos dos avanços tecnológicos são previstos no campo médico, haverá uma crescente pressão de perspectiva humanitária e moral no sentido de "liberar" os direitos de propriedade "para o bem da humanidade".

Os países também enfrentarão sérios desafios para inspecionar, controlar e proibir o uso de tecnologias sensíveis. Com a mesma tecnologia — como sensores, computação, comunicação e materiais — sendo cada vez mais desenvolvida para um espectro de aplicações tanto comerciais como militares, a monitoração e o controle da exportação de componentes tecnológicos será mais difícil. Além do mais, *joint ventures*, mercados globalizados e a crescente proporção do capital do setor privado em pesquisa e desenvolvimento básico acabará por minar os esforços das nações para controlar esse tipo de tecnologia.

- Questões relacionadas à ética de determinadas tecnologias — como alimentos geneticamente modificados, privacidade de dados, pesquisa com materiais biológicos, sensores e aparelhos biométricos — podem se tornar um fator cada vez mais importante na política de comércio internacional e nas relações exteriores.

Biotecnologia: panacéia e arma

A revolução biotecnológica está em uma fase relativamente inicial, e grandes avanços nas Ciências Biológicas, impulsionados pela tecnologia da informação, continuarão a pontuar o século XXI. O setor de pesquisa continuará a promover importantes descobertas, criando novas tecnologias médicas e de saúde pública para a recuperação do meio ambiente, da agricultura, da biodefesa, e para a aplicação em outros campos relacionados.

Ressaltando um aspecto positivo, a Biotecnologia poderá ser um agente "nivelador" entre os países desenvolvidos e em desenvolvimento, disseminando melhorias econômicas e na área da saúde nas regiões mais necessitadas do mundo.

- Possíveis avanços na Biomedicina, como uma barreira antiviral, reduzirão a contaminação das pessoas pelo HIV, ajudando a resolver a crise humanitária da África subsaariana e diminuindo esse obstáculo potencialmente sério em países em desenvolvimento, como Índia e China. A pesquisa em Biotecnologia e as inovações advindas do contínuo investimento norte-americano em saúde pública — como as novas terapias capazes de bloquear a capacidade patogênica de penetração no corpo humano — podem ter aplicações revolucionárias nesse setor que vão além de proteger os EUA de ataques terroristas.

- Mais países em desenvolvimento irão, provavelmente, investir em pesquisas de Biotecnologia, enquanto pressões do mercado competitivo induzirão cada vez mais as empresas e instituições de pesquisa a buscar parceiros tecnicamente capazes nos países em desenvolvimento.

Entretanto, mesmo sendo a disseminação de Biotecnologia uma promessa de melhoria da qualidade de vida, ela encerra um grande problema de segurança. Conforme a informação biotecnológica é cada vez mais disponibilizada, cresce também o número de pessoas que pode usá-la para destruir um grande número de vidas humanas. O trabalho dos terroristas será mais fácil — por causa da grande gama de possibilidades disponíveis — que o do defensor, que deve estar preparado para enfrentar todo e qualquer tipo de ataque. Além disso, à medida que os avanços biotecnológicos evoluem, deter o progresso de programas de ofensiva por meio de armas biológicas será cada vez mais difícil. Nos próximos 10 ou 20 anos há um risco de que os avanços nesse campo aumentem não só as medidas defensivas, mas também a ofensiva através de armas biológicas, permitindo a criação de agentes biológicos avançados destinados a alvos específicos — humano, animal ou lavouras.

Finalmente, algumas biotecnologias, que podem trazer grandes melhorias para a área da saúde, também fomentarão sérias preocupações éticas e de privacidade sobre temas como perfil genético, pesquisas com células-tronco e a possibilidade de descobrir assinaturas de DNA que indicam predisposição para doenças, habilidades cognitivas e comportamento anti-social.

Ao mesmo tempo, a tecnologia será uma fonte de tensão por volta de 2020: da competição para criar e atrair o componente mais crítico do avanço tecnológico — pessoas — à resistência de alguns grupos políticos ou culturais aos efeitos da pirataria e da homogeneização trazidos pela tecnologia.

Desigualdades sociais persistentes

Até mesmo com o potencial dos avanços tecnológicos e da disseminação de novas tecnologias, disparidades sociais significativas nos países em desenvolvimento e da OECD (*Organization for Economic Co-operation and Development*, ou Organização para Cooperação e Desenvolvimento Econômico) continuarão até 2020.

Nos próximos 14 anos, de acordo com a Unesco, as taxas de analfabetismo entre pessoas de 15 anos ou mais cairão, mas ainda serão 17 vezes maiores nos países pobres e em desenvolvimento que nos países da OECD. Além disso, as taxas de analfabetismo entre as mulheres serão duas vezes maiores que entre os homens. Entre 1950 e 1980, a expectativa de vida entre os países mais e menos desenvolvidos começou a convergir de forma marcante — provavelmente essa tendência continuará em muitos países em desenvolvimento, inclusive nos mais populosos. No entanto, de acordo com as projeções do Censo norte-americano, mais de 40 países — inclusive muitas nações africanas, da Ásia Central e a Rússia — devem ter uma expectativa de vida menor em 2010 do que tinham em 1990.

Mesmo que medidas preventivas eficientes sejam tomadas contra a AIDS em alguns países, o impacto social e econômico trazido por milhões de pessoas já infectadas pelo HIV se manifestará nos próximos 14 anos.

- O rápido aumento das mortes de adultos causadas pela AIDS deixou um número de órfãos sem precedentes na África. Hoje, em alguns países do continente, uma em cada dez crianças é órfã, e a situação tende a piorar.

A debilitação e morte de milhões de pessoas por causa da pandemia da AIDS terá um impacto crescente nas economias das nações mais afetadas, particularmente nos países da África subsaariana, onde se estima que mais de 20 milhões de pessoas já tenham morrido em conseqüência da AIDS desde o começo da década de 1980. Estudos demonstram que a renda doméstica cai entre 50% e 80% quando o principal trabalhador da casa é infectado. Nos países da "segunda onda" da AIDS — Nigéria, Etiópia, Rússia, Índia, China, Brasil, Ucrânia e os Estados da Ásia Central — a doença continuará a se espalhar além dos grupos tradicionais de risco e infectará a população em geral. Conforme a AIDS se espalha, há potencial para prejudicar as perspectivas econômicas de muitas potências emergentes.

O *status* da mulher em 2020

Por volta de 2020, a mulher terá conquistado mais direitos e liberdades — em termos de educação, participação política e igualdade profissional — na maior parte do mundo, mas dados das Nações Unidas e da Organização Mundial de Saúde sugerem que o hiato entre os gêneros continuará aberto até mesmo nos países desenvolvidos, e ainda será grande nas regiões em desenvolvimento. Embora a participação da mulher na força de trabalho mundial tenda a continuar crescendo, as diferenças salariais e disparidades regionais devem persistir.

- Apesar de a diferença entre os salários dos homens e das mulheres ter diminuído nos últimos 10 anos, as mulheres continuam a ganhar menos que os homens. Por exemplo, um estudo das Nações Unidas sobre 2020 mostrou que em 27 dos 39 países pesquisados — na OECD e em países em desenvolvimento — o salário das mulheres nas indústrias seria entre 20% e 50% menor que o dos homens.

Alguns fatores tenderão a ir contra a igualdade entre os gêneros, enquanto outros terão um impacto positivo.

Fatores que impedem a igualdade

Em regiões de padrões históricos patriarcais com grande concentração de jovens, a pressão adicional da infra-estrutura significará uma competição intensificada por recursos públicos limitados e uma maior probabilidade de que as mulheres não tenham tratamento igual ao dos homens. Por exemplo, se não houver vaga para todos nas escolas, provavelmente os meninos terão prioridade. Apesar disso, as visões culturais estão mudando entre as gerações mais jovens. No Oriente Médio, por exemplo, muitos jovens muçulmanos reconhecem a importância de a esposa ser educada, pois dessa forma seu potencial para contribuir com a renda familiar será maior.

Em países como China e Índia, onde há uma aguda "preferência por filhos do sexo masculino", reforçada pelas **políticas de controle de população** do governo, as mulheres se arriscam cada vez mais não apenas a se tornar vítimas de infanticídio, mas também de rapto, e de ser contrabandeadas para regiões onde há um número desproporcionalmente maior de homens solteiros. Até agora, a preferência por meninos na China levou a uma queda estimada na população feminina de 30 milhões de mulheres.

Essas estatísticas sugerem que a **indústria global de tráfico de mulheres**, que já fatura aproximadamente 4 bilhões de dólares anualmente, deve se expandir e se tornar a segunda atividade criminosa mais lucrativa em âmbito mundial, atrás apenas do tráfico de drogas.

A "femininização" da AIDS é outra tendência preocupante. Pesquisas divulgadas na Conferência Global sobre AIDS, de julho de 2004, que aconteceu em Bancoc, revelam que o percentual de mulheres infectadas pelo HIV está aumentando em todos os continentes e regiões do mundo, exceto na Europa Ocidental e na Austrália. As mulheres jovens — entre 15 e 24 anos — representam 75% da população mundial infectada pelo HIV.

Fatores que contribuem com a igualdade

Uma ampla agenda de reformas que inclua **bom governo** e **baixos índices de desemprego** é essencial para melhorar o *status* da mulher em muitos países. Especialistas em desenvolvimento internacional enfatizam que apesar de um "bom governo" não precisar necessariamente representar o modelo democrático, ele deve prover estabilidade através da inclusão social. Reduzir os níveis de desemprego é crucial, pois países que já não são capazes de prover emprego para trabalhadores do gênero masculino não tendem a melhorar a oferta de trabalho para as mulheres.

A disseminação de tecnologias de informação e comunicação (TIC) é uma grande promessa. De acordo com uma análise do Banco Mundial, o aumento da infra-estrutura de TIC tende a promover a igualdade de gêneros na educação e emprego. A TIC também permitirá às mulheres formar redes de atuação política e social. Nas regiões que sofrem opressão política, particularmente no Oriente Médio, essas redes de trabalho poderão se tornar, no século XXI, a contrapartida do Movimento Solidariedade, que atuou contra o regime comunista da Polônia na década de 1980.

As mulheres em regiões em desenvolvimento, por enfrentar ameaças maiores, freqüentemente se voltam para ONGs a fim de obter o fornecimento de serviços básicos. Essas organizações poderão vir a ser cada vez mais importantes para o *status* das mulheres em 2020, à medida que estas se organizem em redes de trabalho fomentadas pela tecnologia da informação.

Em muitos países, a tendência atual de descentralização do poder dará às mulheres **cada vez mais oportunidades de participação política.** Apesar do modesto número de cargos governamentais que as mulheres detêm em plano nacional — atualmente, elas são chefes de Estado em apenas oito países —, a participação feminina na política local está crescendo rapidamente e beneficiará em especial a mulher do campo, que vive longe do centro político de determinados países.

Outros benefícios

A dificuldade de adquirir paridade entre gêneros é grande e não apenas para as mulheres. Uma grande literatura empírica sugere que a igualdade entre gêneros na educação promove crescimento econômico e reduz a mortalidade e a má nutrição infantil. Na Reunião do Milênio, os líderes das Nações Unidas propuseram promover a igualdade de gêneros na educação primária e secundária em todos os países do mundo até 2005.

- Em 2005, os 45 países que não estavam de acordo com as metas estabelecidas pelas Nações Unidas deverão ter uma queda de 1% a 3% no crescimento do seu PIB *per capita*.

Cenário fictício: Mundo de Davos

Esse cenário ilustra como um forte crescimento econômico nos próximos 14 anos pode remodelar o processo de globalização, dando a ele uma feição menos ocidental. O cenário é retratado na forma de uma carta hipotética do chefe do Fórum Econômico Mundial a um ex-funcionário do Federal Reserve dos EUA, na véspera da reunião anual de Davos, em 2020. Sob esse cenário, os gigantes asiáticos, bem como outros países em desenvolvimento, continuam a desbancar a maioria das economias "ocidentais", e seu enorme mercado doméstico se tornou o maior centro de negócios e tecnologias globais. A África está tendo um resultado melhor do que muitos imaginavam, bem como outros países emergentes medianos. As potências ocidentais, inclusive os EUA, têm de enfrentar instabilidades no mercado de trabalho, apesar dos muitos benefícios advindos da economia global crescente. Embora beneficiado pelo aumento do preço do petróleo, o Oriente Médio ficou para trás e ameaça o futuro da globalização. Além disso, a crescente tensão acerca do problema de Taiwan pode estar prestes a causar um desastre econômico. No final do cenário, identificamos algumas lições a serem tiradas do nosso relato fictício, inclusive a necessidade de um maior gerenciamento, por parte dos líderes, caso a globalização venha a sair dos trilhos.

12 de janeiro de 2020

Caro Membro do Conselho,

Conforme o senhor bem sabe, os últimos anos foram difíceis. Consegui, finalmente, persuadir os asiáticos a suspender seu boicote, e este ano estamos nos reunindo na China, não em Davos. Doravante, será um ano na Suíça e outro ano na Ásia. Eu havia imaginado que poderia fazer os asiáticos mudarem de idéia, mas eles são unidos. Até mesmo os japoneses não queriam concordar. Não estou convencido de que isso seja um complô da China, conforme dizem alguns. Não estou sequer seguro de que os chineses tenham estado completamente a favor disso. Na sua atual posição, eles tinham de mostrar liderança e apoiar as exigências asiáticas, mas creio que se a reunião continuasse a ocorrer anualmente em Davos, eles não se importariam. A obrigação de serem os anfitriões das reuniões coloca, de fato, mais pressão sobre os chineses no sentido de terem de fazer concessões e lidar com as reclamações sobre a forma como fazem negócios.

Isso me lembra de um tema em particular que tenho desenvolvido à medida que reflito sobre a evolução da globalização. Na virada do século, víamos globalização e americanização como sinônimos. Os EUA eram o modelo. Hoje a globalização tem um rosto mais asiático, e, para ser franco, os EUA não são mais o motor que costumavam ser. Em vez disso, os mercados são orientados pela Ásia.

Isso não quer dizer que o sistema funciona por si só. Foi só depois de aprendermos algumas lições difíceis que vimos quanto gerenciamento foi necessário ou quão facilmente a globalização poderia sair dos eixos. Nós, líderes comerciais, tivemos de aprender a entrar no jogo mais agressivamente.

A tragédia de 11 de setembro de 2001 foi como um despertador. O terrorismo ainda é um desafio físico e estratégico. Para nos protegermos, tivemos de erguer barricadas, mas também havia o perigo de que, se fizéssemos muitas restrições, minaríamos as bases da globalização — o livre fluxo de capital, bens, pessoas etc. Tentamos, portanto, atacar o delicado equilíbrio entre segurança e abertura. Houve muitas críticas sobre as restrições a vistos de entrada por parte dos EUA, que diminuiu o número de estudantes estrangeiros no país, e os cientistas norte-americanos se preocuparam com o fato de a liderança do país nos campos da ciência e da tecnologia perder terreno para a Ásia.

Isso me leva ao meu segundo ponto. Dez ou quinze anos atrás, nós não percebemos a extensão do potencial dos gigantes asiáticos de tomarem a liderança. Em um primeiro momento, os chineses e indianos se mantiveram atrás no processo de globalização. Começou como uma dinâmica entre a China e os EUA, mas hoje o mercado asiático é auto-sustentável e não tão dependente das relações comerciais com os EUA. Além disso, a competição entre China e Índia quanto a reservas de energia e de mercados incentivou as inovações.

Mas nós tivemos algumas noites de insônia nestes anos todos, particularmente quando a China teve problemas financeiros. O fato de a recuperação ter sido rápida foi crucial. Creio que Pequim teria tido problemas para lidar com uma crise política em grande escala. Esse problema poderia ter atrasado sua ascensão econômica por uma década ou mais. Felizmente, isso não aconteceu. Embora os EUA tenham ajudado, um fato realmente interessante foi que a China resolveu suas dificuldades sozinha, sem a ajuda internacional ou dos EUA — ajuda que achamos que ela precisaria. Uma vez mais, havíamos subestimado a extensão do mercado doméstico chinês, o qual pôde alavancar imediatamente a economia do país.

Infelizmente, a crise inflamou o nacionalismo latente, aumentando mais uma vez as tensões sobre Taiwan. A China estava "contando suas fichas", e o risco de errar o cálculo ainda está crescendo. Fico cada vez mais preocupado, pois ninguém — governo ou setor privado — está assumindo a liderança de uma questão que pode se tornar uma grande crise comercial e de segurança internacional.

A tensão entre China, Índia e outros países emergentes também cresce. O sucesso dos gigantes asiáticos dificultou o crescimento dos países menores. A grande demanda de mão-de-obra na China e na Índia não foi sentida apenas no Ocidente. Hoje, vemos o aumento dos salários dos trabalhadores chineses fazer com que, mais uma vez, a mão-de-obra especializada seja exportada para economias nas quais os salários são menores. Em parte, isso pode ser atribuído à demografia — a China é um país que, repentinamente, envelheceu; sua política de apenas um filho está agora assombrando o país.

Antes, os protestos no Ocidente sobre terceirização e migração poderiam ter emperrado a globalização, mas o que podemos fazer de fato? Deter a "maré" de progresso? Detectei, logo abaixo da superfície, uma forte tentação em Washington e nas capitais européias no sentido de manipular as nações emergentes contra a China e a Índia, dando preferência a produtos não-chineses.

Como um aspecto positivo, pode-se afirmar que foram os avanços tecnológicos que colocaram alguns países na trilha do desenvolvimento econômico sustentável. O aumento da produção de alimentos através de inovações biotecnológicas e de água potável, graças a melhores sistemas de filtração, foram impulsos que ajudaram a diminuir a pobreza e a impulsionar o setor agrícola. A China e os EUA finalmente se uniram à Europa na questão dos (OGMs) Organismos Geneticamente Modificados .

O preço mais elevado dos *commodities* foi uma bênção — muito mais que qualquer perdão às dívidas dos países devedores. Alguns consórcios de energia asiáticos praticamente impulsionaram o desenvolvimento de duas ou três nações menores. Os consórcios são populares por suprir com seguro de saúde completo não apenas seus trabalhadores, mas todas as comunidades vizinhas. Malária e tuberculose — para não mencionar a AIDS — estão sendo erradicadas. Lembro-me de que o comércio — se pensarmos no controle total que a Companhia das Índias orientais exercia sobre o subcontinente indiano no século XVIII — estava na frente quando o processo de globalização começou. Fizemos o ciclo completo, com o comércio assumindo o lugar do governo?

Assistimos a algum progresso no Oriente Médio, com alguns países realmente empreendendo reformas de liberação de mercado, mas outros ainda estão estagnados. A Palestina precisa demais de uma figura como George Soros, capaz de injetar capital na região e desenvolver um escoadouro de exportação, mas não vejo ninguém que queira arcar com tal investimento.

Em outros lugares, a receita gerada pelos altos preços do petróleo permitiu aos sauditas e a outros povos desenvolver um padrão de vida elevado para a maioria da população.

Davos fez muito, creio eu, ao abrir o velho clube exclusivamente ocidental. Admito que não percebi logo de início o fato de a China e a Índia, com suas classes médias cada vez maiores, criarem mercados tão grandes. Nos últimos anos, todo o equilíbrio — eu agora vejo — tem mudado. Os consumidores asiáticos estão ditando as tendências, e os negócios do Ocidente, se quiserem crescer, têm de responder a elas. Há 14 anos, poucos entre nós sabiam qualquer coisa sobre empresas asiáticas. Hoje temos o Wumart. A China também chamou a atenção de Washington quando começou a diversificar suas reservas de moeda estrangeira.

A Europa, se estivesse por conta própria, provavelmente teria se sentido ameaçada pelo rápido crescimento da Ásia, mas—engraçado—a Ásia emergente foi vista como um contrapeso para os EUA dominante. O crescimento asiático também ajudou a Europa a reverter seu declínio. A UE acredita que ela e a China têm muito em comum: reverência por instituições regionais. A China, por exemplo, tem a sua Organização de Cooperação de Xangai. Mas não estou tão certo.

A propósito, ouvi dizer que sua neta está passando um semestre na China para aprender o idioma. O senhor sabia que um dos meus netos também está lá? Talvez possamos apresentá-los na reunião de Davos na China.

Lições aprendidas:

Este cenário ilustra as enormes mudanças que devem resultar do crescimento econômico contínuo, enfatizando o que poderia desvirtuar esse crescimento.

- O crescimento nos mercados asiáticos forçaria ajustes domésticos nos EUA e em outros países ocidentais.
- Se o sistema global de comércio se tornar mais integrado e complicado, seria importante trazer a China, a Índia e outras nações emergentes para "fazer parte do clube", mas para tanto seria necessário paciência e compensações.
- É improvável que o sistema seja auto-regulador. Uma forte economia global, por exemplo, não levaria automaticamente à resolução de uma crise como a de Taiwan.

Países emergentes: a mudança da paisagem geopolítica

A provável emergência da China e da Índia como principais jogadores globais — semelhante à ascensão da Alemanha no século XIX e à dos EUA no começo do século XX — transformará a paisagem política e terá impactos tão dramáticos como os que marcaram os dois séculos anteriores. Da mesma maneira como os analistas se referem ao século XX como "o século americano", o começo do século XXI pode ser visto como o momento em que alguns países em desenvolvimento — liderados pela China e pela Índia — chegaram à maturidade econômica.

- A população da região que foi palco dos principais acontecimentos da história do século XX — Europa e Rússia — declinará dramaticamente em termos relativos; quase todo o crescimento populacional ocorrerá nos países em desenvolvimento, que até recentemente ocupavam posições à margem da economia global (veja gráfico na página 132).
- As potências "novatas" — China, Índia e talvez outras, como Brasil e Indonésia — podem promover novos alinhamentos internacionais, marcando um rompimento definitivo com algumas das práticas e instituições pós-Segunda Guerra Mundial.

- Apenas um revés abrupto do processo de globalização ou alguma crise maior nesses países impediria sua ascensão. Apesar disso, a maneira como a China e a Índia exercitarão seu crescente poder e se relacionarão cooperativa ou competitivamente com outras potências do sistema internacional ainda é uma grande incerteza.

Uma combinação entre forte crescimento econômico sustentável, mais capacidade militar, ativa promoção de alta tecnologia e grandes populações será a raiz do rápido crescimento econômico e político dos dois países.

- Por causa do enorme tamanho das populações da China e da Índia — projetadas pelo Departamento de Censo dos EUA em 1,4 bilhão e 1,3 bilhão em 2020, respectivamente —, o padrão de vida nesses países não precisa ser próximo ao dos ocidentais para que se tornem importantes potências econômicas.
- A China, por exemplo, é hoje o terceiro maior produtor de bens manufaturados, tendo sua participação global crescido de 4% para 12% na última década. Ela deve ultrapassar o Japão facilmente em alguns anos, não apenas em termos de participação de bens manufaturados, mas também nas exportações. A concorrência dos "preços chineses" já restringe fortemente os preços dos produtos manufaturados no mundo todo.
- Atualmente, de acordo com a maior parte dos indicadores econômicos, a Índia está atrás da China (veja quadro na página 138), mas muitos economistas acreditam que ela também sustentará altos índices de crescimento econômico.

Ao mesmo tempo, outras mudanças devem contribuir para moldar a nova paisagem mundial. Isso inclui a ascensão econômica de outros países — como Brasil, África do Sul, Indonésia e até mesmo a Rússia —, que podem vir a reforçar o papel da China e da Índia, embora tenham um impacto geopolítico mais limitado. Finalmente, não descartamos a possibilidade de uma Europa mais forte e unida, nem de um Japão mais internacionalmente ativo, embora seja fato que Europa, Japão e Rússia enfrentem dificuldades, por conta de suas populações cada vez mais idosas.

Observando a população mundial em 2020

Para estudar a população projetada em 7,8 bilhões de pessoas em 2020, projetamos esse quadro representativo de um grupo de 100 pessoas:

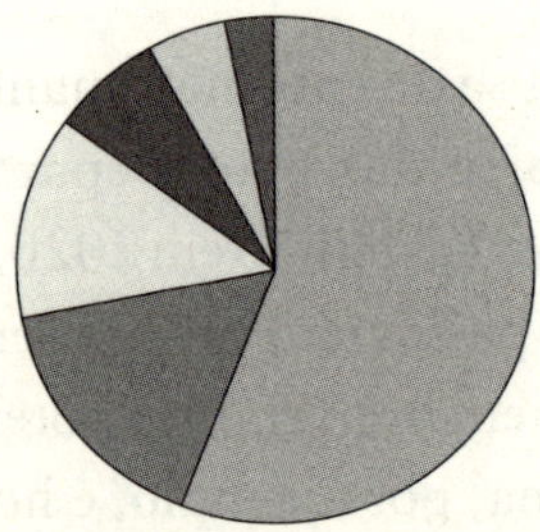

- Cinqüenta e seis delas seriam asiáticas; entre elas, 19 seriam chinesas e 17 indianas.
- Dezesseis seriam africanas; das quais 13 seriam da África sub-saariana.
- Treze seriam do nosso hemisfério, das quais apenas quatro seriam dos Estados Unidos.
- Sete seriam da Europa Oriental e da ex-União Soviética
- Cindo seriam da Europa Ocidental
- Três seriam do Oriente Médio

Fonte: retirado da publicação da CIA *Long-term Global Demographic Trends – Reshaping the Geopolitical Landscape*, de julho de 2001.

A crescente demanda por energia causará muitas dessas mudanças na paisagem geopolítica. A necessidade da China e da Índia de assegurar o acesso às reservas de energia fará com que ambas se tornem potências globais, em vez de apenas poderes regionais, enquanto a co-dependência entre a Europa e a Rússia deve se fortalecer.

A Ásia emergente

O desejo da **China** de adquirir *status* de "grande potência" no palco mundial se refletirá no grande impulso econômico que ela terá sobre os países daquela e de outras regiões, bem como nas suas ações para fortalecer seu poderio militar. Os países da Ásia Oriental, por meio do estabelecimento de laços econômicos e políticos mais fortes com Pequim, estão se adaptando para o evento de uma China mais poderosa, acomodando-se às suas preferências e tendências, particularmente sobre assuntos sensíveis, como Taiwan.

- Entretanto, Japão, Taiwan e vários países do Sudeste Asiático também podem tentar se alinhar entre si e aos EUA, com o intuito de contrabalançar a crescente influência chinesa.

A China continuará a fortalecer seu exército, desenvolvendo e adquirindo armas modernas, como avançados aviões de combate, submarinos sofisticados e uma quantidade cada vez maior de mísseis. Nas duas próximas décadas, a China ultrapassará a Rússia e outras nações, tornando-se a segunda maior investidora em defesa depois dos EUA, além de se tornar uma potência militar de primeira magnitude.

No entanto, dificuldades econômicas e crise de confiança podem retardar a emergência da China como potência global. O fracasso de Pequim no sentido de manter seu crescimento econômico teria um impacto global.

- O fracasso do governo chinês em satisfazer as necessidades populares de oferta de empregos poderia detonar dificuldades políticas.
- Por volta de 2020, a China enfrentará o rápido envelhecimento da sua população e terá de lidar, em todas as instâncias, com problemas demográficos. Não é provável que, nessa época, o país tenha desenvolvido mecanismos sociais — como seguro-saúde e um sistema previdenciário sofisticado — característicos do Ocidente.

- Se a economia da China tiver uma queda, a segurança regional se enfraquecerá, o que resultará, provavelmente, em instabilidade política, crime, tráfico de drogas e migração ilegal.

"Problemas econômicos e crise de confiança podem prejudicar a emergência da China como uma grande potência..."

A emergência da **Índia** também apresentará complicações estratégicas para a região. Como a China, a Índia será um pólo econômico, e sua emersão terá um impacto não só na Ásia, mas também mais ao norte, bem como no Irã e nos países da Ásia Central e do Oriente Médio. A Índia busca estimular a cooperação regional tanto por razões estratégicas como pelo seu desejo de aumentar sua participação no cenário mundial, inclusive em organizações como a (OMC) Organização Mundial do Comércio.

Conforme a economia do subcontinente indiano cresce, os governos do Sudeste Asiático (Malásia, Cingapura, Tailândia etc.) podem se aproximar da Índia para, juntos, compor um contrapeso geopolítico em relação à China. Ao mesmo tempo, a Índia buscará fortalecer seus laços com os países da região, sem excluir a China.

- O comércio bilateral entre China e Índia deve crescer rapidamente, ultrapassando os atuais 7,6 bilhões de dólares, de acordo com o Goldman Sachs e outros especialistas.

Da mesma forma que a China, a Índia pode sofrer reveses e experimentar volatilidade econômica e política com a crescente pressão sobre seus recursos naturais — terra, água e reservas de energia —, pressão essa que se intensificará à medida que o país se modernizar. A Índia terá de enfrentar difíceis escolhas conforme sua população aumentar, e sua superfície e fontes de água se tornarem cada vez mais poluídas.

A emersão da China

Níveis de investimento direto estrangeiro, 1980 - 2003

A China cresceu de "insignificante" em 1980 a uma margem de 6% ... pode estar em segundo lugar em 2020.

(Trilhões de dólares)

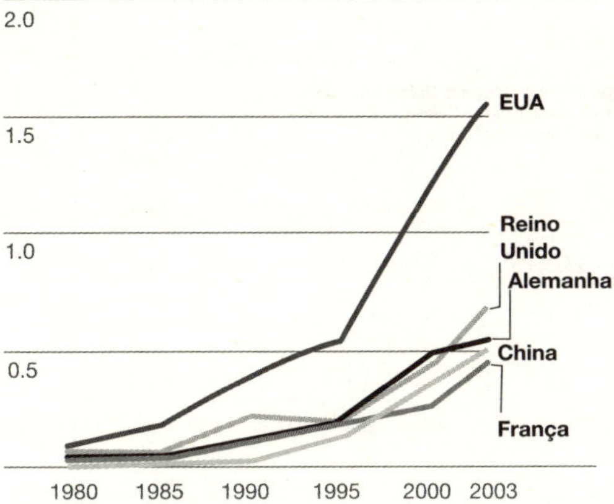

Fonte: UN, *World Investment Report 2004*.

Participação da Manufatura Mundial, 1980 - 2003

A China pode facilmente ultrapassar o Japão em alguns anos.

(Percentual)

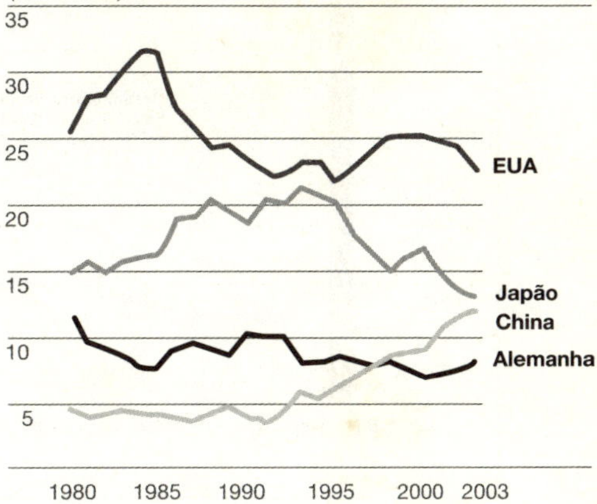

Fonte: Global Insight

Participação nas exportações mundiais, 1980 - 2003

Ela também deve ultrapassar o Japão no volume de comércio...

(Percentual)

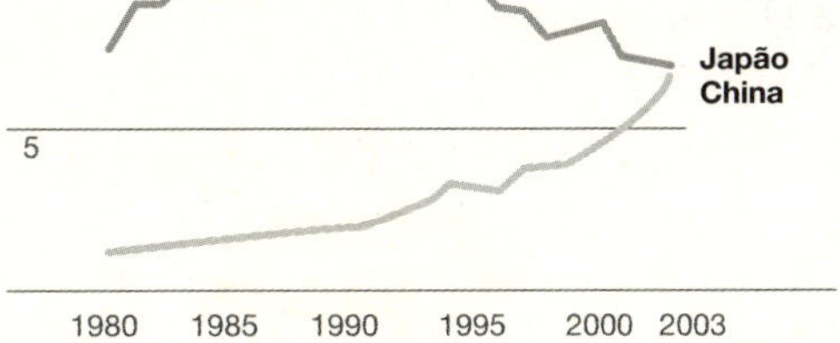

Fonte: Global Insight.

Crescimento na demanda de petróleo, 2000 - 2020

...e praticamente se igualar aos Estados Unidos como o motor da demanda de petróleo.

(Milhões de barris por dia)

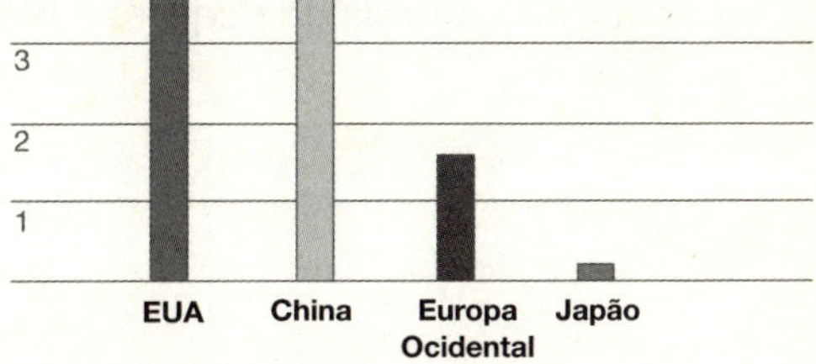

Fonte: US Energy Information Administration.

Crescimento projetado dos gastos da China com defesa, 2003 – 2005

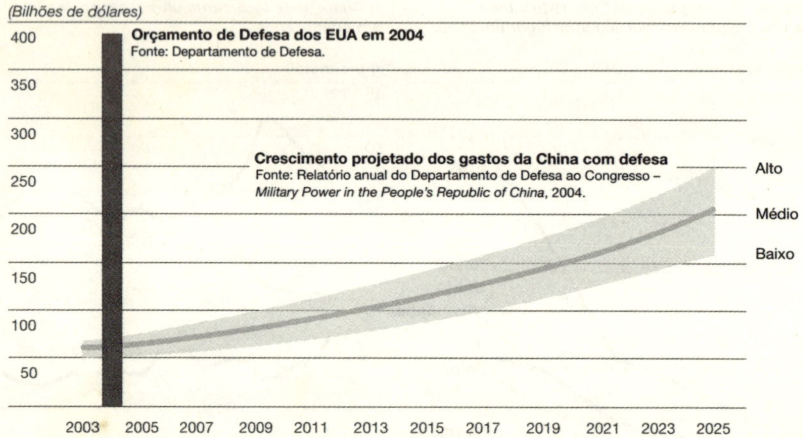

Outros países emergentes?

Brasil, Indonésia, Rússia e África do Sul também estão bem colocados para atingir elevados índices de crescimento econômico, embora não devam exercer a mesma influência política que a Índia e a China. Sem dúvida, seu crescimento beneficiará seus vizinhos, embora não tendam a se destacar a ponto de alterar o fluxo de poder econômico nas suas regiões — um elemento-chave na ascensão política e econômica de Pequim e Nova Délhi.

Os riscos para o crescimento econômico da China

Não se sabe se a ascensão chinesa ocorrerá de forma suave. Em 2003, a Rand Corporation identificou oito grandes riscos que podem prejudicar o rápido crescimento da economia do país na próxima década. Seu relatório, *Problemas no terreno econômico da China*, enfatiza:

- Fragilidade do sistema financeiro e das empresas estatais
- Efeitos econômicos ocasionados pela corrupção
- Recursos hídricos e poluição
- Possível encolhimento de investimento estrangeiro direto
- HIV e doenças epidêmicas
- Desemprego, pobreza e descontentamento social
- Consumo e alta nos preços de energia
- Taiwan e outros conflitos em potencial

A estimativa que a Rand faz do impacto negativo desses desenvolvimentos adversos, considerando-se a ocorrência de um evento por vez, varia de 0,3% a 0,8% para os efeitos da pobreza, descontentamento social e desemprego, e de 1,8% a 2,2% para as doenças epidêmicas.

- Esse estudo considerou **baixa** a probabilidade de que **nenhum** desses desenvolvimentos aconteça antes de 2015, e observou que eles tendem a ocorrer em conjunto, não individualmente — problemas financeiros, por exemplo, também incidiriam sobre questões como corrupção, desemprego, pobreza e insatisfação social, piorando-os e reduzindo o investimento estrangeiro direto.
- A Rand considerou **muito baixa** a probabilidade de que **todos** esses desenvolvimentos aconteçam antes de 2015, mas estimou que, se ocorrerem, seu efeito cumulativo deve reduzir o crescimento econômico chinês entre 7,4% e 10,7% — impedindo efetivamente o crescimento econômico durante esse período.

Índia *versus* China: perspectivas a longo prazo

Economicamente, de acordo com indicadores como PIB, quanto ao montante de investimento estrangeiro (hoje apenas uma fração dos investimentos feitos na China) e renda *per capita*, a Índia está atrás da China. Nos últimos anos, a taxa de crescimento indiano ficou cerca de 20% atrás da chinesa. Contudo, alguns especialistas acreditam que a Índia pode superar a China como a economia que mais rapidamente cresce no mundo. A Índia tem diversos fatores que apontam para isso:

- Sua população economicamente ativa continuará a crescer na década de 2020. Porém, por conta da política do filho único, a população da China diminuirá e envelhecerá rapidamente.
- A Índia tem instituições democráticas bem estabelecidas, tornando-a menos vulnerável às instabilidades políticas, enquanto a China enfrenta o desafio contínuo de reconciliar uma crescente população urbana e classe média com um sistema político essencialmente autoritário.
- A Índia possui mercados de capitais e empresas de *status* internacional em alguns importantes setores da alta tecnologia, o que a China ainda não conquistou.

Porém, apesar de a Índia ter evoluído além daquilo que os próprios indianos se referiam como "a taxa de crescimento hindu" de 2% a 3%, o legado de uma burocracia lenta ainda permanece. Apesar de continuar a trilhar o caminho da reforma econômica, o país ainda não é atraente para o investimento estrangeiro, além de enfrentar fortes desafios políticos. A Índia também luta contra o peso de ter uma proporção muito grande da sua população vivendo em estado de pobreza extrema. Além disso, como evidência dessa tendência negativa, alguns observadores detectam fortes tensões comunais e citam o declínio geral do secularismo, bem como o crescimento de partidos políticos regionais baseados nas castas e o "pogrom" de 2002 contra a minoria muçulmana em Gujarat.

Diversos fatores podem enfraquecer as perspectivas do crescimento econômico chinês, em especial os riscos à estabilidade política e os desafios que o setor financeiro chinês enfrenta conforme assume a orientação de mercado. A China pode encontrar seu próprio caminho para uma "democracia asiática" que não precisa necessariamente envolver instabilidade ou interrupção do seu crescimento econômico, mas há um grande número de incertezas quanto a isso.

Em muitos outros aspectos, tanto a China como a Índia se assemelham a outros países em desenvolvimento em relação aos problemas que devem superar, inclusive grandes populações, particularmente nas zonas rurais, que não compartilham dos benefícios do crescimento econômico. Os dois países também encaram uma epidemia de HIV/AIDS que pode afetar seriamente suas perspectivas econômicas caso não seja controlada. De acordo com dados recentes divulgados pelas Nações Unidas, a Índia superou a África do Sul como o país com o maior número de pessoas infectadas pelo HIV.

Resultado final: a Índia será pressionada a acelerar suas taxas de crescimento econômico, elevando-as a níveis maiores que os alcançados pela China na década passada. Mas a capacidade da China de sustentar seu atual ritmo de crescimento corre mais risco que a da Índia, uma vez que, se a taxa de crescimento chinês cair vários pontos percentuais, a Índia pode emergir como a economia de crescimento mais rápido do mundo.

Os especialistas reconhecem que o **Brasil** é um país-pivô com sua vibrante democracia, uma economia diversificada e uma população empreendedora, um grande patrimônio nacional e sólidas instituições econômicas. O sucesso ou o fracasso do Brasil em equilibrar as medidas econômicas pró-crescimento com uma agenda social ambiciosa, que busca reduzir a pobreza e igualar a distribuição de renda, terá um profundo impacto no desempenho econômico e político da região durante os próximos 14 anos. A busca por investimentos diretos, pelo desenvolvimento da estabilidade regional e integração da população marginalizada — inclusive com relação ao comércio e a infra-estrutura econômica — continuarão, provavelmente, a ser os axiomas da política externa brasileira. O Brasil é um parceiro natural, tanto para os EUA e a Europa, como para potências emergentes como a China e a Índia; o país também tem potencial de melhorar seu desempenho como exportador de petróleo.

Os especialistas observam que durante a próxima década e meia, a **Indonésia** pode atingir um índice de crescimento de 6 a 7%, o qual, junto com o aumento da sua população relativamente grande de 226 para 250 milhões de habitantes, pode torná-la uma das economias de maior desenvolvimento. Esse crescimento rápido presume um ambiente de investimento melhorado, que inclui proteção aos direitos de propriedade intelectual e abertura ao investimento estrangeiro. Com um crescimento mais lento, sua economia não seria capaz de absorver os trabalhadores desempregados ou subempregados, aumentando assim o risco de instabilidade política. A Indonésia é um amálgama de grupos étnicos e religiosos divergentes. Embora a identidade nacional da Indonésia tenha sido forjada nas últimas cinco décadas desde a independência, o governo ainda enfrenta movimentos separatistas.

Os recursos energéticos da **Rússia** garantirão o impulso ao crescimento econômico, mas a Rússia enfrenta um severo desafio demográfico, resultado de uma baixa taxa de nascimentos, sistema de saúde pobre e uma situação potencialmente explosiva com relação à AIDS. Projeções do Departamento de Censo dos EUA mostram que a população economicamente ativa deve encolher dramaticamente por volta de 2020. A atual trajetória da Rússia, afastando-se do pluralismo e indo em direção ao autoritarismo burocrático, também diminuir as chances de o país atrair investimento estrangeiro fora do setor de energia, limitando as perspectivas para diversificar sua economia. Os problemas na fronteira sul — extremismo muçulmano, terrorismo, países fracos com governabilidade pobre e conflitos — tendem a piorar nos próximos 14 anos. Dentro da Rússia, as repúblicas autônomas do norte do Cáucaso correm o risco de entrar em colapso e continuar a ser fonte de tensão endêmica e de conflito. Enquanto esses fatores sociais e políticos limitam a possibilidade de a Rússia se tornar um jogador importante no complexo mundo de 2020, o país pode ser um parceiro de peso tanto para as potências estabelecidas, como os EUA e a Europa, quanto para países emergentes como China e Índia. Também há potencial para a Rússia alavancar seu crescimento explorando sua posição de grande exportadora de gás e petróleo.

Ásia: O palco da mudança global?

De acordo com os especialistas regionais, a Ásia espelhará a maioria das tendências modeladoras da ordem mundial nos próximos 14 anos. O nordeste e sudeste asiáticos progredirão através de caminhos divergentes — os países do norte se tornarão mais ricos e poderosos, enquanto os Estados ao sul continuarão economicamente mais atrasados e enfrentando sérios problemas étnicos e religiosos. Da mesma forma como o nordeste da Ásia é o centro de gravidade política e econômica para os países do sul, partes do sudeste da Ásia serão fonte de ameaças transnacionais — terrorismo e crime organizado — aos países do norte. As divisões entre o norte e o sul da Ásia devem se refletir numa separação cultural entre o nordeste não-muçulmano, o qual continuará a se adaptar ao contínuo avanço da globalização, e o sudeste, onde os fundamentalistas muçulmanos podem influenciar cada vez mais países como Indonésia, Malásia e partes das Filipinas. O fluxo de investimentos em direção à China e à Índia também pode estimular o Sudeste Asiático a implementar planos para estabelecer uma única comunidade econômica e de investimento por volta de 2020.

Os especialistas também percebem que fatores demográficos terão um papel importante na definição de desenvolvimentos regionais. A China e outros países no nordeste da Ásia, inclusive a Coréia do Sul, terão uma queda no crescimento populacional e enfrentarão o envelhecimento de suas populações nos próximos 14 anos. A China também terá de encarar as conseqüências de um desequilíbrio de gêneros causado pela sua política de só um filho. Nos países do Sudeste Asiático, como as Filipinas e a Indonésia, as populações cada vez maiores desafiarão a capacidade dos governos de fornecer serviços básicos. Pressões populacionais e pobreza estimularão migrações dentro da região e em direção ao nordeste da Ásia. Altas concentrações de população e a facilidade para viajar poderão causar a disseminação de doenças infecciosas, aumentando o risco de pandemias.

Os especialistas regionais consultados sentem que a possibilidade de um grande conflito entre países é maior na Ásia do que em qualquer outra região. No seu entender, as crises da Península Coreana e do Estreito de Taiwan devem estourar por volta de 2020, podendo ter repercussões globais. Ao mesmo tempo, a violência entre os países do Sudeste Asiático — na forma de insurgências separatistas e terrorismo — pode se intensificar. A China também pode enfrentar rebelião armada de movimentos separatistas nas suas fronteiras ocidentais.

Finalmente, os papéis das principais potências — China, Japão e EUA — bem como a interação entre elas, passarão por mudanças significativas até 2020. Os EUA e a China têm fortes estímulos para evitar o confronto, mas o crescente nacionalismo chinês e o temor norte-americano da China como um forte concorrente estratégico podem tornar o relacionamento cada vez mais antagônico. O relacionamento entre o Japão, os EUA e a China será moldado pela emergência da China e pela natureza de qualquer ação com relação à Península Coreana e Taiwan.

"As reservas de energia da Rússia impulsionarão o crescimento econômico do país, mas a Rússia enfrenta uma grande mudança demográfica... (com sua) população economicamente ativa tendendo a encolher dramaticamente."

A **África do Sul** continuará a enfrentar os desafios impostos pela AIDS, pela criminalidade e pela pobreza, mas as perspectivas para sua economia — a maior da região — parecem promissoras. De acordo com algumas previsões, a economia da África do Sul deve crescer a uma taxa de 4 a 5% na próxima década, se forem implementadas políticas reformadoras. Os especialistas discordam se a África do Sul será um motor para além da região sul do continente africano ou se, em lugar disso, forjará relações mais próximas com potências de outros continentes. Especialistas sul-africanos vêem o futuro do país sendo construído através de parcerias com noções de fora da região.

O envelhecimento da população

O interesse econômico do Japão na Ásia mudou do sudeste para o nordeste do continente — especialmente a China e o triângulo China–Japão–Coréia — nas duas últimas décadas. Especialistas acreditam que a população economicamente ativa do Japão, cada vez mais velha, reforçará a dependência de investimentos estrangeiros e de maior integração econômica com o nordeste da Ásia, especialmente com a China*. Ao mesmo tempo, as preocupações de Tóquio com a estabilidade regional tendem a crescer, por conta da crise na Coréia do Norte, das tensões entre a China e Taiwan e do desafio de integrar a China e a Índia emergentes sem maiores problemas. O crescente poderio econômico da China tende a estimular uma maior atividade do Japão no cenário mundial.

Pesquisas de opinião indicam um crescente apoio público para que o Japão se torne um país mais "normal", com uma política exterior mais pró-ativa. Especialistas identificam várias trajetórias que o

* *Asia's Shifting Strategic Landscape*, Foreign Policy Research Institute, 26 de novembro de 2003.

Japão pode tomar, dependendo de fatores como a extensão do poderio chinês, a renovação ou falta de vitalidade da economia japonesa, a influência norte-americana na região e como as crises da Coréia e de Taiwan serão resolvidas. Em algum momento, o Japão pode escolher entre "opor-se" à China ou "passar para o lado" dela.

> "...a força da Europa pode estar em fornecer... aos países emergentes um modelo de governabilidade global e regional..."

De acordo com a maior parte das medidas — tamanho do mercado, câmbio, força de trabalho altamente qualificada, bloco comercial unificado e PIB —, uma **Europa maior** será capaz de aumentar o seu peso no cenário internacional. Sua localização estratégica e a crescente diversidade de sua população — particularmente através da incorporação de novos membros — conferem a ela uma capacidade única de estabelecer fortes laços, ao sul, com o mundo muçulmano e a África e, a leste, com a Rússia e a Eurásia.

O peso que a Europa exercerá no cenário mundial depende da sua capacidade de conquistar mais coesão política. No curto prazo, a acomodação de mais dez membros da Europa Oriental será, provavelmente, um "marco" no aprofundamento das instituições da (UE) União Européia necessárias para o desenvolvimento de uma "visão estratégica" coesa e compartilhada com relação à política exterior e de segurança da UE.

- Diferentemente da expansão que houve quando Irlanda, Espanha, Portugal e Grécia se uniram ao Mercado Comum na década de 1970, início da de 1980, Bruxelas tem apenas uma pequena fração dos fundos estruturais disponíveis para nivelar os países centro-europeus aos níveis econômicos do restante da UE.
- A possível inclusão da Turquia na UE apresenta tanto desafios — por causa do tamanho da Turquia e das suas diferenças religiosas e culturais — como oportunidades, desde que sejam estabelecidos

acordos e aceitação mútua. Ao se buscar a resolução para esses problemas, pode-se descobrir um caminho que ajude a Europa a acomodar sua crescente população muçulmana.

Os gastos com a defesa de países como o Reino Unido, a França e a Alemanha devem cair e ficar bem abaixo do orçamento da China e de outros países nos próximos 14 anos. Coletivamente, porém, os países da UE devem gastar mais do que todos os outros, exceto os EUA e possivelmente a China*. Os países-membros da UE têm dificuldades históricas em coordenar e racionalizar os gastos com defesa de forma a incrementar as capacidades, apesar do progresso da UE no sentido de assumir um papel maior na defesa e segurança mundiais. Ainda é uma questão aberta se a UE vai formar um exército, até porque sua criação poderia duplicar ou extinguir as forças da OTAN.

Ao mesmo tempo que as forças militares européias têm pouca capacidade de projeção de poder, o potencial da Europa pode estar em fornecer aos países emergentes, através do seu compromisso com o multilateralismo, um modelo de governabilidade global e regional, particularmente se eles estiverem buscando uma alternativa "ocidental" à forte dependência dos EUA. Por exemplo, uma aliança entre a UE e a China, embora não tenda a acontecer, não é impensável.

As populações cada vez mais velhas e o encolhimento da população economicamente ativa terão um grande impacto no continente, criando um sério desafio econômico e político que pode, porém, ser resolvido. A taxa total de fertilidade da Europa é de 1,4 — bem inferior à renovação populacional de 2,1. Nos próximos 14 anos, as economias da Europa Ocidental precisarão recrutar vários milhões de profissionais para preencher as vagas deixadas pelos trabalhadores que se aposentarão nesse período. Ou os países europeus adaptam sua população economicamente ativa, reformam

* *Strategic Trend*, Joint Doctrine and Concepts Centre, março de 2003.

sua previdência social, sistemas de educação e de tributação e acomodam uma crescente população imigrante (principalmente de países muçulmanos), ou enfrentarão um período de encolhimento econômico que pode ameaçar o enorme sucesso conquistado com o advento da UE.

Envelhecimento global e migração

De acordo com projeções do Censo dos EUA, cerca de metade da população do mundo vive em territórios cujas taxas de fertilidade não são suficientes para repor suas populações atuais. Esses países incluem não só os europeus, a Rússia e o Japão, onde o problema é particularmente sério, mas também a maior parte das regiões desenvolvidas, como Austrália, Nova Zelândia, América do Norte e países do leste da Ásia, como Cingapura, Hong Kong, Taiwan e Coréia do Sul. Alguns países em desenvolvimento, como certos Estados árabes e muçulmanos, como Turquia, Argélia, Tunísia e Líbano, também tiveram queda abaixo de 2,1 crianças por mulher, taxa necessária para manter a estabilidade populacional a longo prazo*.

A China é um caso especial, no qual a transição para uma população mais idosa — cerca de 400 milhões de chineses terão mais de 65 anos em 2020 — é particularmente preocupante, e o surgimento de um sério desequilíbrio de gêneros pode ter graves repercussões políticas, sociais e mesmo internacionais. Um sistema pecuniário problemático indica que muitos chineses terão de continuar a trabalhar na velhice.

A migração tem o potencial de ajudar a resolver o problema do declínio da população economicamente ativa na Europa e, em grau menor, na Rússia e no Japão; provavelmente, os movimentos migratórios se tornarão uma

* Nicholas Eberstadt, "Four Surprises in Global Demography", em *Watch on the West* do Foreign Policy Research Institute, vol. 5 nr. 5, julho de 2004.

característica importante do mundo de 2020, mesmo que muitos dos migrantes não tenham *status* legal. Os países que os receberão enfrentarão o desafio de integrar esses novos imigrantes de maneira a minimizar os conflitos sociais em potencial.

- A remessa de divisas de trabalhadores migrantes é cada vez mais importante para as economias em desenvolvimento. Alguns economistas acreditam que, nos países mais pobres, as remessas são maiores que os investimentos diretos estrangeiros e, em alguns casos, maiores até mesmo que a receita das exportações.

Hoje, metade dos médicos e PhDs nigerianos reside nos EUA. A maioria dos especialistas não espera que a atual tendência de "fuga de cérebros" do Oriente Médio e da África diminua. Na verdade, ela pode aumentar com o crescimento esperado das oportunidades de trabalho, particularmente na Europa.

A crescente demanda por energia

A crescente demanda por energia — especialmente por parte das potências emergentes — terá, até 2020, forte impacto nas relações geopolíticas. O fator isolado mais importante a afetar a demanda de energia será o crescimento econômico global, particularmente o da China e da Índia.

- Apesar da tendência de tornar o uso de energia mais eficiente, o total do consumo de energia aumentará em cerca de 50% nas próximas duas décadas, em comparação com a expansão de 34% de 1980-2000, sendo o petróleo o grande responsável pela maior parte desse aumento.

Combustíveis fósseis continuarão a dominar em 2020

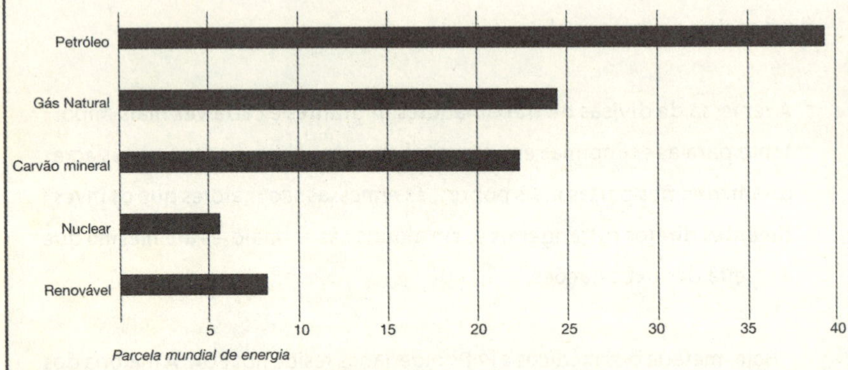

Fonte: Energy Information Administration, *Annual Energy Outlook*, 2004.

- Fontes renováveis de energia, como hidrogênio, solar e eólica provavelmente responderão por apenas cerca de 8% do total da oferta de energia em 2020. Apesar de a Rússia, a China e a Índia planejarem expandir seus setores de energia nuclear, essa fonte de energia tende a declinar globalmente em termos absolutos na próxima década.

A Agência Internacional de Energia prevê que, com investimentos substanciais em novas capacidades, as reservas de energia de forma geral serão suficientes para atender à crescente demanda global. No entanto, o acesso limitado das empresas internacionais de petróleo aos grandes campos petrolíferos pode restringir esse investimento, e muitas das áreas — Mar Cáspio, Venezuela, África Ocidental e o Mar do Sul da China — com potencial de atender ao aumento da demanda envolvem grandes riscos políticos ou econômicos.

Uma União Européia em expansão

Atual	União Européia (UE) 15	UE 25	UE 30	China	Russia	EUA
População *(milhões)*	380	458	527	1.299	144	293
PIB *(bilhões USD)*	11.000	11.637	11.091	6.449	1.287	10.980
Área *(1.000 m2)*	1.212	1.493	1.789	3.646	6.488	3.659

Fonte: CIA

A Europa pode se tornar uma superpotência?

De acordo com os especialistas regionais que consultamos, o futuro papel internacional da Europa depende principalmente de a região realizar reformas econômicas e sociais estruturais para enfrentar o problema do envelhecimento da sua população economicamente ativa. O quadro demográfico necessitará de uma abordagem coordenada e multidimensional que inclua:

- **Mais imigração legalizada e melhor integração dos trabalhadores que devem vir, principalmente, do norte da África e do Oriente Médio.** A Europa Ocidental terá de integrar uma crescente população muçulmana. Barrar o aumento das entradas legais pode apenas levar a um número maior de imigrantes ilegais que serão mais difíceis de integrar, tornando-se um problema de longo prazo. É possível imaginar as nações européias adaptando com sucesso suas populações economicamente ativas e sistemas de previdência social a essas novas realidades; é mais difícil, porém, ver um país — a Alemanha, por exemplo — tendo sucesso em assimilar milhões de novos trabalhadores muçulmanos em um curto período de tempo.
- **Maior flexibilidade nos locais de trabalho, como, por exemplo, estimular as mulheres jovens a parar de trabalhar por alguns anos para iniciar suas famílias em troca de garantias de recolocação profissional.** Estimular os "jovens idosos" (50-65 anos) a trabalhar por mais tempo também ajudaria a minimizar a falta de mão-de-obra.

Os especialistas concluíram que o atual sistema de previdência social é insustentável e a falta de revitalização econômica pode levar à divisão ou, pior ainda, à desintegração da UE, minando suas ambições de atuar como um peso-pesado no palco internacional.

Os especialistas acreditam que a taxa de crescimento econômico da UE está sendo emperrada pela Alemanha e por suas leis trabalhistas restritivas. Reformas estruturais nesse país — e em menor grau na França e na Itália — são a chave para que a UE possa interromper seu lento padrão de crescimento. Um rompimento do modelo de benefícios previdenciários estabelecido depois da Segunda Guerra Mundial pode não ser necessário, conforme foi demonstrado pelo bem-sucedido exemplo da Suécia ao conceder mais flexibilidade nos negócios, ao mesmo tempo em que conservou muitos direitos dos trabalhadores. Os especialistas têm dúvidas de que a atual liderança política esteja preparada para fazer essa quebra parcial, acreditando que uma crise de orçamento nos próximos anos pode ser o gatilho para essa reforma.

Se não forem implementadas mudanças, a Europa pode ter seu ritmo de crescimento diminuído ainda mais, e alguns países podem escolher seguir seu próprio rumo, particularmente com relação à política exterior, mesmo permanecendo como membros nominais da UE. Nesse cenário, a expansão deve ser interrompida, tornando improvável a ascensão da Turquia e de países dos Bálcãs, sem mencionar possibilidades de longo prazo como a Rússia e a Ucrânia. Fazer apenas o necessário para manter as taxas de crescimento em 1 ou 2% pode resultar em alguma expansão, mas a Europa provavelmente não será capaz de assumir um papel internacional que corresponda ao seu tamanho.

Além da necessidade de crescimento econômico e de reformas previdenciárias, muitos especialistas acreditam que a UE deve continuar a elaborar o complicado processo de tomada de decisão que atrapalha a ação coletiva. Uma Europa *federal* — improvável até 2020 — não é necessária para permitir à região que ela assuma um maior papel internacional, desde que possa começar a mobilizar recursos e fundir visões divergentes em metas políticas coletivas. Os especialistas crêem que um "salto" econômico — injetando confiança e entusiasmo no projeto europeu — poderia propiciar essa ação internacional melhorada.

Os fornecedores de petróleo tradicionais do Oriente Médio também estão cada vez mais instáveis. Assim, uma competição mais acirrada entre os compradores, talvez acompanhada de graves interrupções no abastecimento de petróleo, é uma das maiores incertezas dos próximos 14 anos.

A **China** e a **Índia**, que não têm recursos de energia próprios, terão de assegurar acesso contínuo aos fornecedores estrangeiros; assim, a necessidade de energia será um fator importante na elaboração das políticas externa e de defesa, estimulando inclusive uma expansão do poder naval.

- Especialistas acreditam que a China terá de aumentar seu consumo de energia em 150%, e a Índia, em aproximadamente o dobro, em 2020, para manterem um ritmo de crescimento econômico constante.
- As crescentes necessidades de energia por parte de Pequim devem fazer com que a China aumente seu papel ativo no mundo — no Oriente Médio, África, América Latina e Eurásia. Ao tentar maximizar e diversificar seus fornecedores de energia, a China teme se tornar vulnerável à pressão dos EUA, país que tem, segundo o entender dos agentes governamentais chineses, uma política de energia agressiva, que pode ser usada contra Pequim.
- Por mais de dez anos, agentes governamentais chineses têm afirmado abertamente que a produção das empresas chinesas que investem no exterior é mais segura do que as importações negociadas no mercado internacional. As empresas chinesas estão sendo orientadas a investir em projetos na região do Mar Cáspio, Rússia, Oriente Médio e América do Sul com a intenção de assegurar um acesso ao petróleo mais confiável.

A demanda de energia da **Europa** não tende a crescer na mesma proporção que a dos países em desenvolvimento, em parte porque se espera que a Europa terá um crescimento econômico menor, bem como usará a energia de maneira mais eficiente.

A geopolítica do gás

Tanto os produtores de petróleo como os de gás natural terão mais influência do que hoje, mas as relações entre os fornecedores de gás e seus consumidores devem ser particularmente fortes por causa das restrições dos mecanismos de distribuição. A interdependência dos gasodutos — os produtores têm de estar ligados aos consumidores — reforça a formação de alianças regionais.

- Mais de 95% do gás produzido e 75% do gás comercializado são distribuídos via gasodutos diretamente do fornecedor ao consumidor, e a tecnologia de transformação de gás em líquido não deve alterar essas taxas substancialmente até 2020.
- A Europa terá acesso a reservas na Rússia e na África do norte, enquanto a China terá de se abastecer na Rússia oriental, Indonésia e potencialmente da Austrália. Os EUA devem comprar quase exclusivamente do Canadá e de outros fornecedores do hemisfério ocidental.

A crescente preferência da Europa por gás natural, combinada com a exaustão das reservas do Mar do Norte, dará um impulso adicional aos esforços políticos que já estão sendo negociados com a intenção de fortalecer os laços com a Rússia e o norte da África, pois o gás requer um alto comprometimento político de ambos os lados no projeto e construção da infra-estrutura necessária. De acordo com um estudo realizado pela Comissão Européia, o consumo de energia importada por parte da UE aumentará de cerca de 50% em 2000 para 67% por volta de 2020. O uso de gás crescerá mais rapidamente devido às preocupações ambientais e à diminuição da capacidade de energia nuclear da UE.

> "...muitas dessas áreas... essenciais para fornecer energia adicional, envolvem riscos políticos ou econômicos substanciais... Assim, uma competição acirrada, orientada pela demanda... talvez acompanhada por grandes interrupções do fornecimento de petróleo, está entre as principais incertezas quanto ao futuro."

O fornecimento através do gasoduto Yamal-Europa e do Blue Stream ajudará a **Rússia** a aumentar suas vendas de gás à UE e à Turquia em mais de 40% sobre os níveis de 2000 ainda na primeira década do século XXI. Como resultado, a proporção da Rússia na demanda total da Europa aumentará de 27% em 2000 para 31% em 2010. Além disso, a Rússia, como maior fornecedor de energia não-membro da OPEP, estará bem posicionada para usar suas reservas de petróleo e de gás para sustentar objetivos políticos externos e domésticos. A Argélia tem a oitava maior reserva de gás do mundo e também está buscando aumentar suas exportações à Europa em 50% até o final da década.

Unipolaridade dos EUA — Até quando ela vai durar?

Um mundo com uma única superpotência é um fenômeno exclusivo dos tempos modernos. Apesar do aumento do antiamericanismo, a maior parte das principais potências acredita que contramedidas de equilíbrio não devem funcionar numa situação na qual os EUA controlam tantas áreas de influência. Além disso, as políticas norte-americanas não são percebidas como suficientemente ameaçadoras para fazer com que esse passo seja dado.

Um número crescente de pessoas em todo o planeta, especialmente no Oriente Médio e no mundo muçulmano, acredita que os EUA se inclinam ao domínio regional — ou domínio político ou econômico direto sobre outros países e seus recursos. No futuro, a crescente desconfiança pode fazer com que alguns governos adotem uma abordagem mais agressiva, a qual pode incluir a resistência em apoiar os interesses norte-americanos em fóruns internacionais e o desenvolvimento de capacidades militares assimétricas como forma de se opor aos EUA.

> "Há poucas teorias politicamente relevantes para indicar quanto os países tendem a lidar com uma situação na qual os EUA continuem a ser o ator mais poderoso em termos econômicos, militares e tecnológicos."

Muitos países devem testar uma variedade de diferentes táticas de resistência ao comprometimento num esforço para influenciar a maneira como os EUA exercitam seu poder. Esperamos que os países busquem estratégias destinadas a excluir ou isolar os EUA — talvez temporariamente — com o objetivo de forçar o país a jogar de acordo com outras regras. Muitos países acreditam cada vez mais que a maneira de obter influência sobre Washington é através da ameaça de não-cooperação. Em outras formas de negociação, governos estrangeiros tentarão encontrar maneiras de "ligar" suas agendas políticas às dos EUA — na guerra contra o terrorismo, por exemplo —, e assim diluir a oposição norte-americana às suas políticas.

Cenário fictício: Pax *Americana*

Este cenário retrata como a predominância norte-americana pode sobreviver a mudanças radicais na paisagem política global, com Washington permanecendo no centro nevrálgico da política internacional. Ele é apresentado como anotações no diário do fictício secretário-geral das Nações Unidas, em 2020. Nesse cenário, as alianças-chave e o relacionamento com a Europa e a Ásia sofreram mudanças. A Cooperação EUA-Europa está renovada, inclusive com relação ao Oriente Médio. Há novos arranjos de segurança na Ásia, mas os EUA ainda são o principal agente. O cenário também sugere que Washington tem de se esforçar para assegurar sua liderança num mundo cada vez mais diverso, complexo e ágil. No final do texto, identificamos as lições aprendidas com este cenário.

Diário particular do secretário-geral das Nações Unidas

11 de setembro de 2020

Há exatamente vinte anos, a paisagem mudou com a destruição das Torres Gêmeas. Foi marcante o momento em que o presidente dos EUA declarou pelo telefone que mais do que simplesmente o cenário foi alterado. Não só foi construída uma nova estrutura, parcialmente obscurecendo a memória da devastação, como os EUA também se ergueram como uma fênix das suas próprias cinzas para novamente serem a pedra fundamental da ordem mundial.

Eu diria que isso começou quando os EUA e a Europa se uniram novamente. Parece que, vez ou outra, Vênus e Marte cruzam suas órbitas. Os atentados terroristas de 2010 na Europa tiveram muito a ver com isso. Eles mudaram atitudes, e, de repente, os europeus tiveram uma melhor compreensão do que é o terrorismo catastrófico — algo bem diferente do que eles tinham conhecido até então. A opinião pública mudou radicalmente, em especial porque os atentados não tinham qualquer justificativa. A seriedade da catástrofe foi tão grande que a Europa e os EUA passaram das conversações às ações, e, de fato, os europeus começaram a exigir que, de novo, os EUA endurecessem contra o terrorismo.

Uma coisa que ficou clara é que a Europa estava mais unida do que nossos amigos norte-americanos imaginavam. A Nova Europa, organizada em torno da UE, não se revelou muito diferente da Velha Europa. A OTAN passou por maus bocados, mas agora está funcionando melhor com a UE. Atualmente, os dois lados aceitam que a OTAN tem as ferramentas militares necessárias, enquanto a UE pode trazer ao tabuleiro uma capacidade de "construir nações".

Do lado europeu, muito teve a ver com a ascensão da Turquia como membro da UE, algo que eu não esperava ver. Com a perspectiva da participação da Turquia, os europeus perceberam que suas fronteiras estavam praticamente no Oriente Médio — o que significava que eles tinham de se preparar melhor para lidar com os problemas do terrorismo, fundamentalismo, revoltas juvenis etc.

Unindo-se da maneira como fizeram, os europeus persuadiram os EUA de que alguma coisa tinha de ser feita para cessar a espiral de violência na Palestina.

Para os europeus, essa sempre foi a raiz do problema, mas as discordâncias e a falta de vontade política sempre impediram qualquer ação concentrada.

Mudanças climáticas e energéticas também estão assumindo um papel cada vez mais importante na dinâmica entre os EUA e a Europa, mas não da maneira que se esperava. Durante um certo tempo, os europeus pareciam estar tentando isolar os EUA e insistiam que Washington jogasse de acordo com as regras da UE. Mas isso nunca iria acontecer, e os líderes europeus não consideraram o crescente ressentimento dos seus eleitores com relação ao desrespeito ao meio ambiente por parte da China e de outros países em desenvolvimento. De repente, Kyoto não tinha mais a ver, e uma nova estrutura teve de ser elaborada — dessa vez em conjunto com os norte-americanos.

O papel dos EUA mudou ainda mais dramaticamente na Ásia. A China emergia cada vez mais como potência e, embora não estivesse desafiando os EUA diretamente, estava certamente ofuscando sua influência na região, particularmente em termos econômicos. A preocupação norte-americana com o terrorismo e com o Iraque parecia diminuir ainda mais o peso dos EUA na área. O Japão apoiou os norte-americanos com relação ao Iraque, mas não sem conflito, por conta da sua dependência econômica da China. Na Coréia do Sul, a geração mais jovem culpa os EUA pela divisão do país e pelos problemas com o norte. Parecia apenas uma questão de tempo para os EUA serem colocados de lado.

Então, ocorreu uma série de eventos que mudaram a dinâmica. Temerosos pelo contínuo impasse na Coréia do Norte, vazaram rumores de que os japoneses pensavam seriamente em desenvolver sua própria bomba. Nessa época, a China também sofreu um revés econômico, o qual exacerbou o confronto com Taiwan e também aumentou a tensão no Japão e no Sudeste Asiático. Inicialmente, os EUA buscaram fortalecer sua posição, mas descobriram que havia grande preocupação com um conflito entre os EUA e a China. Washington acabou diminuindo sua presença militar na Coréia e no Japão. Muitos não queriam que os EUA se retirassem, nem mesmo a China. Creio que os chineses percebem secretamente algum bem em ter os norte-americanos por perto, uma vez que a presença dos EUA garante uma maior aceitação da crescente influência política e econômica de Pequim.

Dificilmente pode-se considerar que este seja um casamento dos sonhos, e tanto os EUA como a China têm de dar duro para que sua relação não saia dos trilhos. Vejo ainda mais nuvens de tempestade sobre Taiwan. Parece que o nacionalismo aflige a todos. A expansão da classe média chinesa revelou que eles têm menos interesse na democracia que no nacionalismo.

As preocupações quanto a reservas de energia também foram resolvidas em favor dos EUA. Um Oriente Médio estável é tão atraente para a China, em termos de energia, como o é para a Europa. Os EUA também estão cada vez mais atuando como mediador entre os sunitas e os xiitas. Washington não estava preparado quando um Iraque livre e dominado pelos xiitas começou a mudar o equilíbrio e a aumentar a tensão na região de onde provém a maior parte do petróleo do mundo. Não é, de fato, uma posição invejável, esta que os americanos assumiram.

Às vezes, acho que muitos americanos estão ficando cansados de bancar os policiais do mundo. O peso da segurança ainda está nos seus ombros; essa é a fonte das frustrações norte-americanas com os europeus, os quais só pensam em se ater à UE. Os EUA acharam que tinham um acordo — Washington arcaria com o pesado apoio a Israel, mas os europeus estariam preparados para enviar dinheiro e tropas para a força de paz do Oriente Médio. Isso, porém, parece não estar funcionando.

Até quando a **Pax Americana** irá durar? Não sei responder. Ela não pressupôs a fundação de novas instituições. É claro que a UE funciona um pouco melhor porque há mais cooperação entre seus membros, mas fizemos pouco em termos de reformas. A Índia está ficando cada vez mais frustrada. Os africanos, latino-americanos e asiáticos pobres ainda se sentem subvalorizados e alguns países demonstram até mesmo um certo ressentimento pela ascensão da China e da Índia, uma vez que isso tolheu suas oportunidades. A Comissão de Direitos Humanos, que há alguns anos se expandiu na Comissão de Direitos Humanos e Ética, está levando a fórum debates sobre clonagem humana, organismos geneticamente modificados, e se o consumo de energia deve ser regulado globalmente. Apesar de toda a cooperação prática que tem havido entre os países com o objetivo de deter o terrorismo, ainda não concordamos sobre uma estratégia conjunta de contra-terrorismo. Para *finalizar, estou no meio de uma terrível briga em duas frentes para permanecer aqui em Nova Iorque: contra os grupos que se opõem à "supremacia norte-americana" e contra grandes números de europeus e de asiáticos que acreditam que as Nações Unidas estão por demais sob o controle de Washington.*

Sempre me pergunto quanto progresso real nós tivemos de fato. Vou falar com o presidente dos EUA da próxima vez que nos encontrarmos...

Lições aprendidas:

Um ambiente geopolítico no qual o poder dos EUA domine se tornaria mais complexo.

- Uma China emergente deve colocar os EUA em uma posição diferente, tendo de agir como mediador entre ela, de um lado, e o Japão e os outros países asiáticos, de outro.

Coalizões concorrentes tenderão a lutar em prol de problemas éticos e morais. Os EUA serão chamados a liderar, mas o cenário sugere que será necessário ter habilidade para alcançar os consensos.

A ***Pax Americana*** não será necessariamente um cenário "doce" para os EUA.

- As expectativas profundamente enraizadas de os EUA continuarem como os principais responsáveis pelas questões de segurança não devem mudar, particularmente devido ao fato de que apenas os EUA têm capacidade militar para tanto.
- O cenário sugere que a arquitetura internacional não está projetada para compartilhar as responsabilidades da segurança internacional. Exceto pela OTAN — dominada pelos EUA —, não há outras organizações regionais de segurança que sejam operacionais nesse cenário.

Novos desafios à governabilidade

O Estado nacional continuará a ser a unidade dominante da ordem mundial, mas a globalização econômica e a disseminação de tecnologias, especialmente as de informação, colocarão um enorme fardo sobre os ombros dos governos. Os regimes que foram capazes de administrar os desafios da década de 1990 podem não conseguir fazer o mesmo com relação aos desafios de 2020. Forças contraditórias estarão atuando: regimes autoritários enfrentarão novas pressões para se democratizar, ao mesmo tempo em que novas porém frágeis democracias podem não ter capacidade adaptativa para sobreviver e se desenvolver.

- Com o aumento da migração em diversas partes do mundo — do norte da África e Oriente Médio para a Europa, da América Latina e Caribe para os EUA e do Sudeste Asiático para as regiões do norte — mais países se tornarão multiétnicos e multirreligiosos, tendo, assim, de enfrentar o desafio de integrar os imigrantes nas suas sociedades, ao mesmo tempo em que terão de respeitar suas identidades étnicas e religiosas.

Interrompendo o processo de democratização

O crescimento econômico global tem o potencial de impelir o processo de democratização, mas o retrocesso por parte de muitos países considerados parte da "terceira onda" de democratização é uma possibilidade distinta. Em particular, por volta de 2020, a democratização pode ser parcialmente revertida entre os Estados da ex-União Soviética e do sudeste da Ásia, alguns dos quais nunca assumiram de fato a democracia. A **Rússia** e a maioria dos regimes da **Ásia Central** parecem estar se voltando novamente para o autoritarismo, e o crescimento econômico global por si só não será provavelmente capaz de reverter essa tendência. O desenvolvimento de economias mais diversificadas nesses países — o que não é inevitável — seria crucial para estimular o crescimento da classe média, a qual, por sua vez, estimulará o desenvolvimento do processo de democratização.

- Pressionados por graves desigualdades econômicas, os ditadores da Ásia Central devem enfrentar uma grande população de jovens descontentes, aos quais faltam oportunidades econômicas. Os governos da Ásia Central tendem a suprimir as discordâncias voltando-se ao autoritarismo para manter a ordem, fomentando ainda mais o surgimento de novas insurgências.

> "...o retrocesso por parte de muitos países considerados parte da terceira onda de democratização é uma possibilidade distinta."

Os líderes chineses enfrentarão o dilema de acomodar a pressão pluralista e relaxar os controles políticos ou, então, arriscar uma reação popular. Pequim também tem de pesar sua ambição de se tornar um dos principais atores mundiais, o que seria enfatizado se seus governantes patrocinassem reformas políticas.

A China deve buscar um "jeito asiático" de democracia que possa incluir eleições em pleito local e um mecanismo consultivo em pleito nacional, talvez com o Partido Comunista detendo o controle do governo central.

Países eurasianos: Seguindo seus próprios rumos?

Os especialistas regionais que participaram do nosso projeto percebem que o desenvolvimento político da Rússia desde a queda do comunismo tem sido complicado pela sua busca contínua de uma identidade nacional pós-soviética. Putin tem apelado cada vez mais ao nacionalismo russo — e às vezes à xenofobia — para definir a identidade do país. Seus sucessores bem podem definir a identidade russa enfatizando seu passado imperial e seu domínio sobre seus vizinhos, mesmo rejeitando a ideologia comunista.

Para os especialistas, os países da Ásia Central são fracos e têm grande potencial para ser palco de conflitos étnicos e religiosos durante os próximos 14 anos. Os movimentos religiosos e étnicos podem ter um impacto desestabilizador sobre toda a região. A Eurásia tende a se tornar mais diferenciada, apesar do fato de que forças demográficas contraditórias — como a falta de mão-de-obra na Rússia e na Eurásia Ocidental e o excesso de oferta de força de trabalho na Ásia Central — possam ajudar a equilibrar a região. Além disso, a Rússia e os países da Ásia Central tendem a cooperar no sentido de desenvolver corredores de transporte para suprimentos de energia.

Os especialistas consultados afirmam que, entre os países ricos em recursos naturais, a Rússia tem as melhores perspectivas para expandir sua economia para além da simples extração desses recursos, tornando-se mais integrada na economia mundial. Para diversificar sua economia, a Rússia precisaria passar por reformas estruturais e fortalecer seu legislativo, o que poderia estimular o investimento direto estrangeiro fora do setor de energia. Consciente de que a Europa provavelmente se interessaria em estabelecer um "relacionamento especial" com uma Rússia economicamente mais forte,

Moscou se tornará, provavelmente, mais tolerante com os países-membros da ex-União Soviética que estreitam seus laços com a Europa. Se a Rússia não diversificar sua economia, ela pode passar pelo fenômeno dos petro-Estados, os quais se caracterizam por desenvolvimento econômico desequilibrado, enorme desigualdade na distribuição de renda, fuga de capital e problemas sociais.

Os analistas regionais têm pouca confiança sobre o potencial de diversificação econômica em outros países ricos em recursos naturais da Ásia Central e do Sul do Cáucaso nos próximos 14 anos — especialmente o Cazaquistão, o Turcomenistão e o Azerbaijão. O desafio dos países mais limitados em termos de recursos naturais, como a Ucrânia, a Geórgia, o Quirgistão, o Tagiquistão e o Uzbequistão será o de desenvolver projetos eficientes e indústrias de serviços — o que exige um governo mais atuante.

Os países da Ásia Central — Cazaquistão, Quirgistão, Tagiquistão, Turcomenistão e Uzbequistão — enfrentam o sério desafio de manter a paz social no contexto de um grande aumento populacional, uma população relativamente jovem, perspectivas econômicas limitadas e a crescente influência do Islamismo radical. Permitir uma maior emigração ajudaria a aliviar a pressão sobre os países da Ásia Central. A Rússia se beneficiaria da migração como forma de compensar sua perda de aproximadamente um milhão de pessoas por volta de 2020. A Rússia, porém, tem pouca experiência na integração de imigrantes de outras culturas; o nacionalismo russo está exacerbado em função dos crescentes problemas étnicos do país, e os especialistas crêem que quaisquer esforços para expandir as políticas de imigração seriam explorados por políticos nacionalistas.

Ironicamente, os analistas prevêem uma união maior, se as condições econômicas piorarem no mundo todo e a Eurásia for isolada. Nesse caso, uma Rússia estagnada seria eleita pelos outros para manter a ordem ao longo das fronteiras ao sul, uma vez que alguns países da Ásia Central — Turcomenistão, Tagiquistão e Quirgistão — certamente enfrentariam severas crises.

- Jovens líderes chineses que já exercem influência como prefeitos e funcionários regionais têm sido treinados em universidades de estilo ocidental e têm uma boa compreensão dos padrões internacionais de governo.
- A maioria dos especialistas regionais que participaram do nosso projeto crê que os líderes atuais e os futuros são agnósticos no que se refere à democracia e estão mais interessados em desenvolver o que percebem ser o modelo de governo mais eficiente.

O progresso democrático pode firmar raízes em países-chave do **Oriente Médio**, os quais tinham sido excluídos do processo por regimes repressivos. O sucesso em se estabelecer uma democracia eficiente no Iraque e no Afeganistão — bem como a consolidação da democracia na Indonésia — será um exemplo para outros países árabes e muçulmanos, criando pressões para a mudança.

Entretanto, um estudo de 2001 da Freedom House mostrou uma grande distância, que tende a crescer ainda mais, entre os índices de liberdade e democracia dos países islâmicos e do resto do mundo. A falta de crescimento econômico no Oriente Médio fora do setor de energia é um dos fatores principais do atraso. Muitos especialistas regionais não têm esperanças de que a nova geração possa impulsionar reformas democráticas em muitos desses regimes.

- A relação entre o crescimento do radicalismo islâmico e a resposta que os regimes dão a essa pressão também terá repercussões de longo prazo no processo de democratização e na expansão das instituições da sociedade civil, embora os radicais possam usar as urnas para ganhar poder.
- Um longo período em que os preços do petróleo se mantenham elevados permitiria que os regimes adiassem a reforma fiscal e econômica.

A pressão da alta tecnologia sobre a governabilidade

Hoje, usuários de microcomputador têm mais capacidade na ponta dos seus dedos do que a NASA tinha com os computadores que usou na primeira viagem do homem à Lua. A tendência de uma capacidade, velocidade, redução de preços e mobilidade cada vez maior terá enorme implicação política: milhares de pessoas e de pequenos grupos — muitos dos quais nunca tiveram tanta capacidade — não apenas se conectarão uns com os outros, mas também planejarão, mobilizarão e cumprirão tarefas com resultados potencialmente mais satisfatórios e eficientes do que seus governos poderiam imaginar. Isso certamente afetará o relacionamento entre indivíduos, seus governos e diretrizes governamentais, bem como gerará pressão em alguns governos para que respondam de maneira mais ágil.

- A China tem uma das mais elevadas taxas de crescimento de uso da Internet e de telefonia celular, de acordo com a *International Telecommunication Union*, e é o maior mercado de comunicação de banda larga.
- Os relatórios acerca do crescente investimento, por parte de governos do Oriente Médio, no desenvolvimento de infra-estrutura de informação de alta velocidade, embora não estejam disponíveis para a população em geral nem conectadas com o restante do mundo, mostram o potencial óbvio para a disseminação de idéias democráticas — ou não.

A mudança climática e suas implicações em 2020

As políticas relacionadas às alterações climáticas devem figurar de forma significativa nas relações multilaterais, e os EUA, em particular, devem enfrentar uma forte pressão bilateral no sentido de mudar suas políticas ambientais domésticas, tornando-se líder nos esforços ambientais mundiais. Há um forte consenso na comunidade científica de que o efeito estufa é real e de que a média das temperaturas aumentou no último século, mas ainda há incerteza quanto às suas causas e possíveis soluções. Os especialistas ponderam que as preocupações acerca dos gases-estufa, dos quais a China e a Índia são grandes produtores, aumentarão cada vez mais até 2020. Provavelmente haverá uma série de eventos climáticos que, corretamente ou não, serão relacionados ao aquecimento global. Qualquer um desses eventos poderia fomentar apelos do mundo todo aos EUA — como o maior produtor de gases-estufa —, no sentido de fazer o país reduzir dramaticamente seu consumo de combustíveis fósseis.

Os tomadores de decisões políticas enfrentarão um dilema: um regime ambiental baseado somente nos incentivos econômicos provavelmente não produzirá os avanços tecnológicos necessários, pois as empresas hesitarão em investir em pesquisa quando não há certeza sobre os lucros potenciais. Porém, um regime fundamentado em uma regulamentação governamental tende a ser caro e inflexível. Os numerosos obstáculos à ação multilateral incluem: resistência dos países-membros da OPEP, uma vez que estes dependem da receita gerada com a venda de combustíveis fósseis; desenvolvimento da visão global de que a mudança climática é um problema criado pelo mundo industrial, o qual se receia abordar por conta das restrições econômicas; e a necessidade de inovações tecnológicas inovadoras que maximizem a eficiência energética.

Dentre os motivos para encarar tal quadro de maneira otimista, os especialistas percebem que o mundo está pronto e ansioso pela liderança norte-americana, e que as instituições multilaterais não são necessárias para abordar esse tema. A elaboração de uma política para limitar as emissões de gás carbônico seria simplificada pelo fato de três entidades políticas — EUA, UE e

China — serem as responsáveis por mais da metade do CO_2 lançado na atmosfera. Um acordo que incluísse essas três entidades, além da Federação Russa, do Japão e da Índia, abrangeria 2/3 da emissão total de gás carbônico.

- Alguns países buscarão controlar a Internet e seu conteúdo, mas enfrentarão dificuldades cada vez maiores, pois novas redes oferecerão múltiplos meios de comunicação.

A crescente conectividade também será acompanhada pela proliferação de comunidades virtuais transnacionais, tendência que pode complicar a capacidade dos países e das instituições globais de gerar consenso e de pôr em prática as decisões tomadas, podendo até mesmo ver desafiadas a sua legitimidade e autoridade. Grupos baseados em afinidades religiosas, culturais, étnicas ou quaisquer outras podem ficar divididos entre a lealdade ao seu país ou às outras identidades. Esses grupos terão um considerável poder para influenciar em âmbito nacional, e até mesmo global, as decisões políticas sobre um amplo espectro de temas — o que é, normalmente, uma função dos governos.

A Internet fomentará a criação de movimentos globais que podem vir a ser uma força robusta nos fóruns internacionais. A tecnologia da comunicação permitirá, por exemplo, a preservação de idiomas e culturas por expatriados, que também podem gerar poder político e econômico, apesar do aumento da emigração e das mudanças culturais.

Temas populares tendem a ser uma potente força política e social, especialmente porque a globalização ameaça agravar as divisões sociais, econômicas e étnicas. Em certas regiões da América Latina, a não-adaptação das elites às demandas do mercado livre e da democracia levará, provavelmente, ao populismo, insuflando movimentos indígenas que até agora têm buscado mudanças por meios democráticos, fazendo-os considerar a possibilidade de usar medidas mais drásticas para conquistar o que julgam ser "sua justa parte" de poder político e riqueza.

- No entanto, como acontece com a religião, o populismo não será necessariamente inimigo do desenvolvimento político, podendo servir para aumentar a participação da população nesse processo. Poucos especialistas temem um retorno aos regimes militares.

Os países latino-americanos que estão se adaptando mais eficientemente aos desafios futuros estão construindo instituições democráticas sólidas e capazes de implementar políticas de inclusão social, bem como de aumentar a confiança dos cidadãos e dos investidores. Um sentido de progresso econômico e esperança pela sua continuidade parecem ser essenciais para a credibilidade dos sistemas democráticos a longo prazo.

O forte nacionalismo e uma tendência ao populismo também desafiarão os governos asiáticos. Muitos países, como Laos, Camboja e Birmânia, não têm sido capazes de conceber as crescentes exigências populares, por isso correm o risco de fracassar como Estados.

- Os especialistas observam que uma nova geração de líderes está surgindo na África a partir do setor privado. Esses líderes sentem-se muito mais confortáveis em um ambiente democrático do que seus predecessores, e podem fomentar uma forte dinâmica interna para a democracia no futuro.

América Latina em 2020: A globalização fará a região se dividir?

Os especialistas consultados sobre a América Latina ponderam que as mudanças globais nos próximos 14 anos podem aprofundar as divisões já existentes — além de dividir ainda mais a região em termos econômicos, de investimento e de política comercial. Enquanto o Cone Sul, particularmente o Brasil e o Chile, forma novas parcerias comerciais com a Europa e a Ásia, a América Central, o México e os países andinos podem ficar para trás e continuar dependentes dos EUA e do Canadá como parceiros comerciais e fornecedores de ajuda.

Na década passada, a ineficiência de muitos governos impediu, em parte, que diversos países tomassem medidas econômicas e sociais que os integrassem à economia global. Na verdade, a distância entre ricos e pobres, representados e excluídos, cresceu. Durante os próximos 14 anos, os efeitos do crescimento econômico contínuo e da integração global tendem a ser fragmentários e diferentes de um país para outro. De fato, especialistas regionais prevêem um aumento no risco do surgimento de líderes populistas carismáticos — historicamente comuns na região —, capazes de elevar as preocupações populares acerca das desigualdades sociais nos países politicamente mais fracos da América Central, dos Andes e em algumas regiões do México. Nos países politicamente mais fracos, em especial naqueles onde a "criminalização da sociedade" — e até mesmo do Estado — é mais aparente, os líderes têm uma maior tendência de ser autocráticos e antiamericanos.

Os especialistas fizeram as seguintes observações sobre as perspectivas regionais em outras áreas:

- **Política de identidade:** porções cada vez maiores da população estão se identificando — como os indígenas — e exigirão não apenas voz, mas também um novo contrato social. Muitos rejeitam a globalização como ela tem sido feita, vendo-a como uma força homogeneizadora que corrói suas culturas, e como um modelo econômico neoliberal, cujos frutos, distribuídos de maneira desigual, advém da exploração injusta do trabalho e do meio ambiente.
- **Tecnologia da informação:** a universalização da Internet, tanto como mídia de massa como meio de comunicação interpessoal, ajudará a educar, conectar, mobilizar e integrar os tradicionalmente excluídos.

Política de identidade

Parte da pressão sobre a governabilidade virá de novas formas de identidade política, centradas em convicções religiosas e em características étnicas. Nos próximos 14 anos, a identidade religiosa deve se tornar um fator cada vez mais importante na maneira como as pessoas se definem. A tendência da identidade política tem a ver com a maior mobilidade e a crescente diversidade de grupos hostis dentro de um mesmo país, bem como com a difusão de modernas tecnologias da comunicação.

- A primazia de identidades étnicas e religiosas garantirá aos seus membros uma comunidade pronta que funciona como uma "rede de segurança social" em épocas de necessidade — particularmente importante para os migrantes. Essas comunidades também garantem redes de trabalho que geram oportunidades de emprego.

"Nos próximos 14 anos, a identidade religiosa deve se tornar um fator cada vez mais importante na maneira como as pessoas vêem a si mesmas."

Ao mesmo tempo em que não dispomos de dados sobre o número de pessoas que se converteram ou mudaram de fé nos últimos anos, percebemos uma tendência para que haja um grande número de adeptos e um **aprofundamento do comprometimento religioso** por parte de muitos fiéis.

- À medida que o Marxismo declina, o Cristianismo, o Budismo e outras religiões e práticas estão, por exemplo, se disseminando em países como a China, e a proporção de evangélicos convertidos aumenta cada vez mais em países latino-americanos tradicionalmente católicos.
- Por volta de 2020, a China e a Nigéria terão as maiores comunidades cristãs do mundo, uma mudança que reformulará as insti-

tuições cristãs tradicionalmente ocidentais, dando-lhes uma característica mais africana ou asiática — ou, mais amplamente, uma feição característica dos países em desenvolvimento.

- A Europa Ocidental está à parte dessa crescente "religiosidade" global, a não ser por conta das comunidades migrantes da África e do Oriente Médio. Muitas das funções tradicionais das igrejas — educação, assistência social etc. — estão hoje sob responsabilidade do Estado. Um secularismo mais profundo, porém, pode não fomentar a aceitação cultural de imigrantes muçulmanos, os quais julgam discriminatórias as proibições de certas demonstrações religiosas feitas por alguns países da Europa Ocidental.

Muitos fiéis — nacionalistas hindus, evangélicos cristãos na América Latina, judeus fundamentalistas em Israel ou radicais muçulmanos — estão se tornando "ativistas", ou seja, têm uma visão de mundo que defende mudanças na sociedade, além de tenderem a fazer distinções maniqueístas e possuir crenças religiosas capazes de transformar conflitos locais em grandes cruzadas.

Alguns movimentos baseados na religião são comuns em tempos de distúrbios sociais e políticos — e freqüentemente são um impulso para a mudança positiva. Um exemplo é a constatação dos estudiosos de que o crescimento das seitas evangélicas na América Latina forneceu aos grupos mais pobres e racialmente excluídos, inclusive às mulheres, "uma rede de relações de trabalho que não haveria de outra forma... provendo seus membros com conhecimentos necessários para sobreviver numa sociedade que muda rapidamente... (e ajudando) a promover o desenvolvimento da sociedade civil na região"*.

Ao mesmo tempo, o desejo de grupos ativistas de mudar a sociedade quase sempre leva a mais conflitos sociais e políticos, às vezes violentos. Em particular, tende a haver atrito em comunidades mis-

* Consulta de Philip Jenkins ao Conselho Nacional de Inteligência em 4 de agosto de 2004.

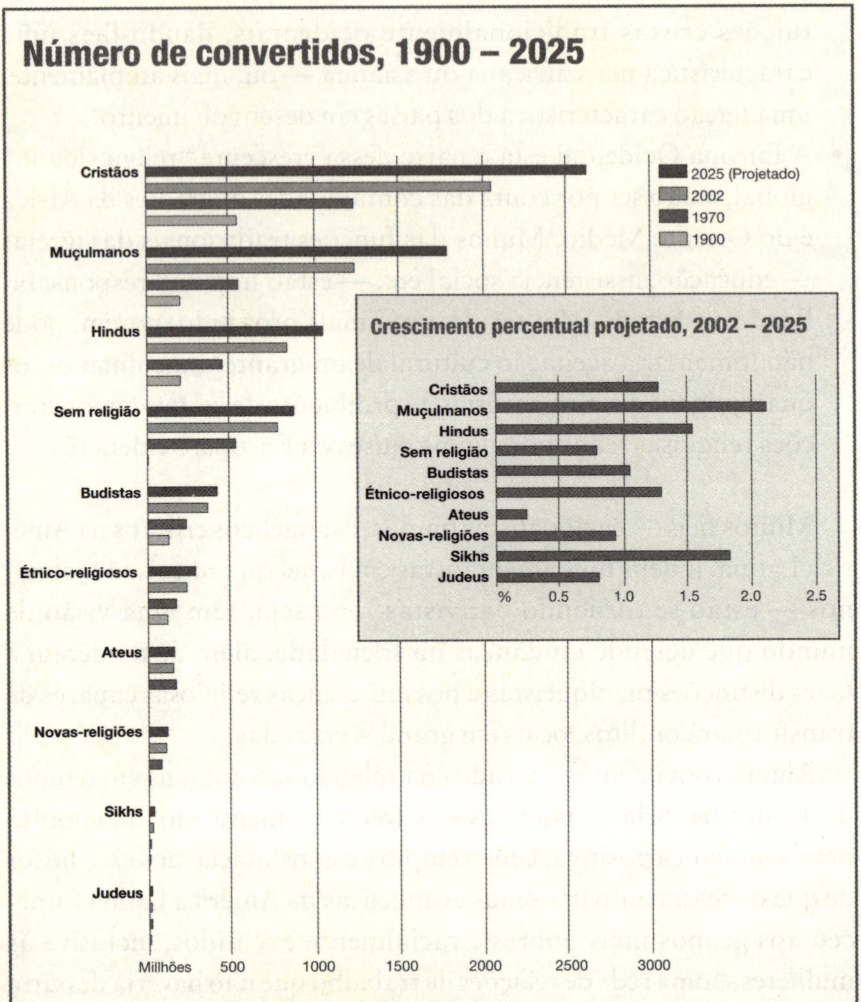

Fonte: *Status and Trends in Global Mission as Revelead by the Anual Christian Megacensus, AD 1800–AD 2025*, World Evangelization research Center.

tas quando os ativistas buscam converter membros de outros grupos religiosos ou de instituições religiosas tradicionais. Para sustentar suas fortes convicções religiosas, muitos ativistas desses movimentos definem suas identidades como opostas às dos "estranhos", o que pode gerar tensão.

Islamismo radical. Muitas das regiões nas quais os "ativistas" religiosos tendem a atuar também têm uma grande população jovem, à qual os especialistas relacionam com o grande número de convertidos radicais, incluindo aí os extremistas muçulmanos*.

- As populações jovens devem ser particularmente suscetíveis ao radicalismo religioso na maioria dos países da África Oriental e Ocidental entre, pelo menos, 2005 e 2010, com efeitos que permanecerão por muito tempo.
- No Oriente Médio, o crescimento do Islamismo radical reflete a alienação política e econômica de muitos jovens muçulmanos em relação à irresponsabilidade e falta de representatividade de seus governos, bem como no que concerne ao fracasso de muitos países predominantemente muçulmanos em conquistar ganhos econômicos significativos por meio da globalização.

O crescimento do Islamismo radical terá um grande impacto global em 2020, colocando em conflito grupos étnicos e nacionais, e talvez criando até mesmo uma autoridade que transcenda as fronteiras nacionais. Parte do apelo do Islamismo radical envolve a conclamação dos muçulmanos para retornar às suas raízes primordiais, quando o Islã estava à frente das mudanças globais. O sentimento coletivo de alienação e estagnação que alimenta o Islamismo radical não deve se dissipar até que o mundo muçulmano esteja, novamente, integrado à economia mundial.

> "O crescimento do Islamismo radical terá um grande impacto global... colocando em conflito grupos étnicos e nacionais, e talvez criando até mesmo uma autoridade que transcenda as fronteiras nacionais."

* Definimos extremistas muçulmanos como um subgrupo violento dos ativistas islâmicos que está comprometido com a reestruturação política da sociedade de acordo com sua visão da lei islâmica.

Áreas de atividades do Islamismo radical – desde 1992

Países e territórios onde muçulmanos radicais ajudaram grupos violentos, inclusive movimentos separatistas e insurgentes.

Outros países e territórios onde muçulmanos radicais estão baseados ou que têm cidadãos treinados para (ou familiarizados com) a jihad.

Atentados terroristas (exceto nos Estados Unidos e na Argentina)

Fonte: CIA

O Islamismo radical continuará a atrair muitos migrantes muçulmanos em busca de prosperidade e oportunidades de trabalho no Ocidente, mas que não se sentem à vontade naquilo que percebem ser uma cultura estranha à sua.

Estudos revelam que os imigrantes muçulmanos estão sendo integrados à medida que a Europa Ocidental se torna mais inclusiva, mas muitos imigrantes da segunda ou terceira gerações se voltam para o Islamismo radical conforme encontram obstáculos à integração total e barreiras ao que consideram ser a prática religiosa normal.

Diferenças religiosas e étnicas contribuirão para fomentar futuros conflitos e, se não forem abordadas, serão a causa de problemas regionais. As regiões onde há perigo de os atritos resultarem em conflito civil generalizado são: sudeste da Ásia, África Ocidental, Filipinas e Indonésia. Nesses países, a linha divisória entre cristãos e muçulmanos separa historicamente a sociedade.

UE: População muçulmana estimada e projetada, 1985 – 2025

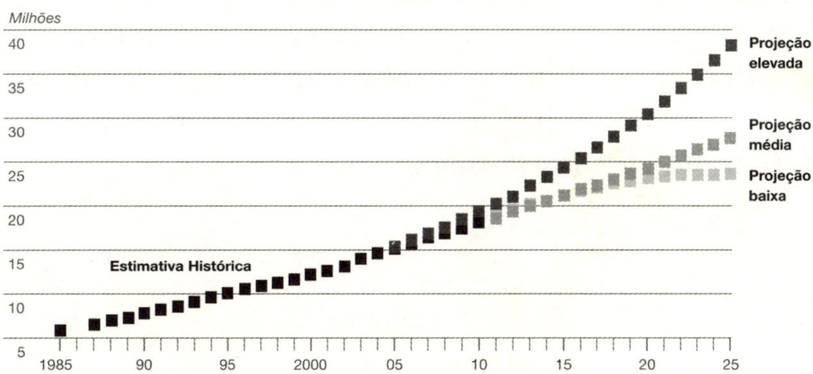

Fonte: Based on a variety of diplomatic and media reporting as well as government, academic, and other sources.

- Os cismas dentro das religiões, sejam eles históricos ou permanentes, também podem levar a um conflito de identidade religiosa. Um Iraque dominado pelos xiitas tende a estimular uma maior atividade das minorias xiitas em outros países do Oriente Médio, como Arábia Saudita e Paquistão.

Cenário fictício: Novo Califado

O cenário fictício retratado a seguir fornece um exemplo de como podem surgir movimentos globais fomentados por uma identidade religiosa radical. Nesse cenário, um **Novo Califado** *é proclamado, o qual promove uma poderosa contra-ideologia. Ele é retratado na forma de uma carta hipotética de 2020, de um neto fictício do terrorista árabe Osama bin Laden a parentes. Ele reconta os esforços do Califa ao tentar combater o controle de regimes tradicionais e o conflito e confusão que permearia tanto o mundo muçulmano como as relações entre muçulmanos e EUA, Europa, Rússia e China. Ao mesmo tempo em que o sucesso do Califa na obtenção de apoio varia, locais distantes do centro muçulmano do Oriente Médio — na África e na Ásia — são profundamente afetados pelos seus apelos.*

O cenário termina antes que o Califa seja capaz de estabelecer autoridade espiritual e temporal sobre um determinado território — o que, historicamente falando, foi o caso dos califados anteriores. No final da carta, identificamos as lições aprendidas.

Carta particular de Sa'id Mohamed bin Laden a um parente

Sa'id Mohamed bin Ladin
Em nome de Deus, o Benevolente, o Misericordioso

3 de junho de 2020

Nosso avô estaria frustrado. A proclamação do califado ainda não se tornou nossa salvação. Como você bem sabe, caro irmão, nosso avô acreditava no retorno do período dos Califas Guiados por Deus, quando os líderes do Islã reinavam sobre o império como verdadeiros Defensores da Fé. Ele via o califado governando novamente o mundo muçulmano, reconquistando terras perdidas na Palestina e na Ásia, e acabando com as influências infiéis ocidentais, ou "globalização", conforme o eufemismo usado pelos cruzados. Os mundos espiritual e temporal obedeceriam novamente a vontade de Alá, recusando a divisão ocidental entre Igreja e Estado. No final das contas, como vimos, a proclamação ainda não superou essas divisões, mesmo com o temor por Alá, que a emergência do califado despertou nos poderes cruzados (nosso avô ficaria satisfeito com isso). A ocidentalização certamente perdeu sua força entre muitos muçulmanos, e o califado separou, de fato, vários países que eram apenas invenções da imaginação do colonizador.

Quando penso nisso, não sei como pudemos deixar de ver a ascensão do jovem Califa — ficamos todos surpresos, tanto os crentes como os infiéis. De repente, o jovem pregador tinha um mundo de seguidores. Até mesmo antes de ser proclamado Califa, sucessor do profeta — que a paz esteja com ele —, ele foi reverenciado em todos os lugares pelos fiéis. Talvez porque não fosse membro da Al Qaeda e não tivesse liderado nenhum movimento político, como fez nosso avô. Sua espiritualidade era aparente. Ele não havia se maculado com o sangue de inocentes, o que impediu, quer nosso avô admitisse ou não, que muitos apoiassem a Al Qaeda. Ele recebeu promessas de aliança e doações de dinheiro de todo o mundo muçulmano — das Filipinas, Indonésia, Malásia, Usbesquistão, Afeganistão e Paquistão. Alguns membros das elites governantes também o apoiaram, buscando fortalecer suas posições. Na Europa e na América, muçulmanos não-praticantes despertaram para sua verdadeira identidade e fé e, em alguns casos, deixaram seus pais e parentes já ocidentalizados para retornar à terra natal. Até mesmo alguns infiéis se impressionaram com a sua espiritualidade — o Papa, por exemplo, tentou iniciar um diálogo inter-religioso com essas pessoas. Ocidentais a favor da antiglobalização o idolatraram. Em um curto período de tempo, ficou claro que não havia alternativa a não ser proclamar aquilo pelo qual muitos haviam esperado: o **Novo Califado**.

Quanta confusão semeamos entre os cruzados! Um mundo praticamente esquecido penetrou no Ocidente, e as histórias dos primeiros califas, de repente, se tornaram *best-sellers* na Amazon.com. Eles tinham absoluta certeza de que trilharíamos o mesmo caminho rumo ao secularismo e talvez até mesmo esperassem nossa conversão ao sistema de valores judaico-cristão. Você consegue imaginar a expressão nos seus rostos quando atletas muçulmanos recusaram suas nacionalidades durante os Jogos Olímpicos e proclamaram sua aliança ao califado? Tudo veio abaixo: as estruturas que o Ocidente tentou usar para nos aprisionar na sua ordem mundial — democracia, Estados nacionais e um sistema internacional administrado por eles — pareciam estar em frangalhos.

O petróleo também os preocupava, e nós os tínhamos na palma da mão por causa disso. Conforme as incertezas invadiam o mercado, correram boatos de que os EUA e os países da OTAN tomariam os campos petrolíferos para garantir que o califado não o fizesse. Soubemos depois que os EUA não conseguiram convencer seus aliados da necessidade de intervenção militar, e que Washington temia provocar uma revolta muçulmana no mundo todo.

A essa altura irrompeu a violência com os xiitas — algo que, de certa forma, já suspeitávamos. O Califa acreditava que o Irã estava por trás do problema. O Irã sentiu-se desconfortável com a proclamação do califado. A Província Oriental Saudita, com sua grande população xiita e onde estão localizados os campos petrolíferos, tornou-se particularmente vulnerável. Os governantes dos países do Golfo também influenciaram.

Sa'id Mohamed bin Ladin

Em nome de Deus, o Benevolente, o Misericordioso

Então, suspeitamos que os distúrbios estavam sendo fomentados pelo Iraque, dominado pelos xiitas, e, por trás do Iraque, pelos EUA e a CIA. Mas se os infiéis norte-americanos estavam realmente por trás das perturbações — o que, creio, era o caso —, eles sofreram as conseqüências. A tênue paz que os EUA construíram com tanto esforço no Iraque veio abaixo quando a insurgência sunita recomeçou repentinamente. Os rebeldes proclamaram o verdadeiro califado e combateram tanto os xiitas quanto os norte-americanos.

Foi um desafio difícil para o Califa. O califado representa união e nós corríamos o risco de ver o califado desaparecer se a velha rivalidade entre xiitas e sunitas não fosse superada. Como um árabe sunita, eu não deveria demonstrar qualquer compaixão por uma divisão que os partidários de Ali causaram ao Dar al-Islam há muitos séculos, mas tanto agora como tempos atrás, não superar essa barreira foi um erro. Alguns dos seus novos pensadores estão se unindo aos reformadores sunitas que compartilham idéias semelhantes e estão conquistando o respeito e o apoio dos infiéis. O restabelecimento das relações de cooperação entre os persas e os norte-americanos — mesmo longe de serem calorosas — seria perigoso para nós.

Nosso povo também está muito seduzido pelo materialismo ocidental. Ah, a Internet — salvação e, ao mesmo tempo, armadilha armada pelo demônio. É ela que está levando o Califa a conseguir poder quase total, espalhando seu carisma por todos os lugares. Mas também é uma arma amplamente usada pelos nossos inimigos. Cada vez mais fiéis descobrem como os ocidentais vivem e passam a querer as mesmas coisas, sem entender a podridão que elas trazem consigo.

Esse desejo de ter as mesmas coisas que os ocidentais têm e a violência xiita são os problemas que assolam a classe média, que começa a tentar sair das nossas terras sagradas. Ironicamente, a emigração causou perturbações na Europa e nos EUA. Ambos não se importam com as crises do califado, mas aceitar 1 milhão ou mais de refugiados — muitos dos quais acostumados a um alto

Sa'id Mohamed bin Ladin
Em nome de Deus, o Benevolente, o Misericordioso

padrão de vida — é outra coisa. A Europa e os EUA estão nas mãos de um grande dilema: mais muçulmanos nos seus países poderia insuflar ressentimentos, porém não aceitá-los poderia, uma vez mais, ressaltar sua hipocrisia.

Há confusão em toda parte. Quando o califado foi proclamado, a expectativa era a de que os países de maioria muçulmana aderissem completamente. Mas isso ainda não aconteceu. Em vez disso, há bolsões de seguidores enfraquecendo politicamente muitos países, mas sem conseguir derrubar seus governos. Estamos muito perto disso na Ásia Central e em certas regiões do Paquistão e do Afeganistão, dois países que estão enfrentando guerras civis. A Rússia está atolada nas lutas contra as insurgências internas e contra as autocracias da Ásia Central. A aliança entre os EUA e a Rússia é uma mudança paradoxal: em vez de os EUA fornecerem dinheiro e armas aos *mujahidin* para combater os soviéticos, eles estão ajudando a Rússia a lutar contra os *mujahidin*. Em dois países, duas autoridades distintas governam, nenhuma das quais com controle total. O Pashtunistão foi declarado, mas ainda não consolidou seu poder. E tudo isso começou para impedir que os cruzados explorassem nossos recursos. Nenhum oleoduto foi construído e muitos outros foram destruídos. A Ásia emergente se ressentiu por causa da interrupção da construção de novos oleodutos. A China evitou qualquer ajuda dos EUA, mas suas preocupações com sua irredutível burguesia islâmica aumentaram consideravelmente.

O sudeste da Ásia e algumas partes da África Oriental e Ocidental estão tomando praticamente o mesmo rumo. A proclamação do califado deu poder aos insurgentes, mas seu efeito até agora foi dividir os países e criar bolsões nos quais governam tanto o califado como a lei sharia. Os asiáticos também são difíceis. Acham que descobriram um modo próprio de Islamismo.

A luta também continua na Palestina, apesar da criação de um Estado palestino. Os sionistas ainda ocupam terras muçulmanas e compartilham o controle de Jerusalém. Os europeus pensaram que poderiam evitar um cho-

Sa'id Mohamed bin Ladin

Em nome de Deus, o Benevolente, o Misericordioso

que de civilizações, mas uma grande quantidade de muçulmanos em seus territórios está se voltando para o Califa. Os EUA também têm seguidores infiéis do Califa, inclusive a filha de um senador. Os norte-americanos ficaram presos no meio do turbilhão, tentando comprar a facção que apóia o Califa a fim de pacificar os sunitas iraquianos, mas sem alienar Israel. A Europa está fazendo pressão sobre os sionistas pela primeira vez, falando até em fazer sanções contra Israel.

Tanta confusão e perturbação, mas mesmo assim isso é bom para nós. Quando o califado foi proclamado, perdemos membros e a Al Qaeda deixou de atuar. No entanto, muitas novas lutas começaram. Podemos lutar para recuperar as terras do Islã, mesmo com o Califa virando as costas para algumas causas e correndo o risco de se tornar muito brando. Fizemos acordos com os líderes militares locais, usufruindo sua hospitalidade ou pagando tributos. De qualquer forma, temos liberdade de operar conforme julgamos adequado. Estou esperançoso...

Sa'id Mohamed bin Ladin
Em nome de Deus, o Benevolente, o Misericordioso

Lições aprendidas:

Um califado não teria de ser completamente bem-sucedido para apresentar um sério desafio à ordem internacional. Esse cenário salienta o debate ideológico transcultural que se intensificaria com o crescimento das identidades religiosas.

- A revolução da tecnologia da informação deve aumentar o conflito entre os mundos ocidental e islâmico.
- O apelo do califado seria diferente de uma região para outra, o que implica a adoção de abordagens diferenciadas pelos países ocidentais para se opor a ele. Os muçulmanos das regiões que terão se beneficiado com a globalização, como algumas partes da Ásia e da Europa, podem ficar divididos entre a idéia de um califado espiritual e as vantagens materiais de um mundo globalizado.
- A proclamação de um califado não diminuiria a possibilidade de terrorismo e, ao fomentar ainda mais conflitos, poderia criar uma nova geração de terroristas dispostos a atacar aqueles que se opõem ao califado, sejam eles muçulmanos ou não.

Insegurança total

Prevemos que em 2020, haverá um sentimento mais profundo de insegurança, o qual pode ser baseado tanto em percepções psicológicas como em ameaças físicas. Os aspectos psicológicos, que já abordamos anteriormente, incluem preocupações com a segurança dos empregos, bem como temores relacionados à migração, entre populações locais e de imigrantes.

O terrorismo e os conflitos internos podem interromper o processo de globalização ao aumentar significativamente os custos de segurança associados ao comércio internacional, à manutenção do policiamento de fronteiras, e ao afetar negativamente os padrões de comércio e os mercados financeiros. Embora bem menos prováveis que os conflitos internos, conflitos entre as grandes potências criariam riscos à segurança mundial. O potencial para a proliferação de (WMD) Armas de Destruição em Massa aumentará ainda mais a sensação de insegurança.

Transmutando o terrorismo internacional

Os fatores-chave que motivam o terrorismo internacional não mostram sinais de melhora nas projeções dos próximos 14 anos. Os especialistas entendem que a maioria dos grupos terroristas internacionais continuará a se identificar com o Islã radical. O fortalecimento da identidade muçulmana criará uma estrutura para a disseminação da ideologia islâmica radical, tanto dentro como fora do Oriente Médio, incluindo regiões como a Europa Ocidental, o Sudeste Asiático e a Ásia Central.

- Esse fortalecimento da identidade muçulmana tem sido acompanhado por um aprofundamento na solidariedade entre os muçulmanos envolvidos em lutas separatistas nacionais ou regionais, como na Palestina, Chechênia, Iraque, Caxemira, Mindanao ou sul da Tailândia. Especialistas ponderam que ele surgiu em resposta à repressão e ineficiência dos governos.
- Uma insurgência radical em um país muçulmano qualquer do Oriente Médio poderia fomentar uma onda de terrorismo na região e cristalizar a idéia de que um **Novo Califado** não é apenas um sonho.
- Redes informais de fundações de caridade, *madrassas*, *hawalas* e outros mecanismos continuarão a proliferar e a ser explorados por elementos radicais.
- A alienação entre os jovens desempregados aumentará a possibilidade de serem recrutados pelo terrorismo.

> "Nossa maior preocupação é que (grupos terroristas) possam adquirir agentes biológicos, ou, menos provável, armas nucleares com potencial de destruição em massa."

Há indicações de que os radicais islâmicos desejam criar uma insurgência transnacional, isto é, um movimento liderado pelos extremistas muçulmanos para derrubar diversos governos de população muçulmana, com argumentos que atrairão a maioria muçulmana.

- A antiglobalização e a oposição às políticas norte-americanas podem reunir um grande número de simpatizantes, financiadores e colaboradores dos terroristas.

"... acreditamos que, por volta de 2020, a Al Qaeda terá dado lugar a grupos extremistas islâmicos de inspiração semelhante, porém mais difusos."

Um grupo disperso de atores. A pressão do esforço contra-terrorista global, bem como o impacto do avanço da tecnologia da informação, fará com que a ameaça terrorista se torne cada vez menos centralizada, fazendo-a evoluir em um arranjo eclético de grupos, células e indivíduos. Ao mesmo tempo em que terão a vantagem de usar campos de treinamento em diversas partes do mundo, os terroristas precisarão de quartéis para planejar e executar suas operações. Os materiais de treinamento, direcionamento de alvos, instrução sobre operação de armamentos e obtenção de fundos se tornarão cada vez mais virtuais (isto é, *on-line*).

O número de membros da Al Qaeda provavelmente continuará a diminuir, mas outros grupos nela inspirados, grupos regionais e indivíduos autoproclamados *jihadistas* — unidos pelo ódio aos regimes moderados e ao Ocidente —, deverão assumir os atentados terroristas. Os membros da Al Qaeda que foram treinados no Afeganistão se dispersarão gradualmente, mas serão substituídos em parte pelos indivíduos que sobreviverão ao conflito no Iraque. Esperamos que, por volta de 2020, a Al Qaeda tenha dado lugar a grupos extremistas islâmicos de inspiração semelhante, porém mais difusos, os quais se oporão à disseminação de muitos aspectos da globalização nas sociedades islâmicas tradicionais.

- **O Iraque** e outros possíveis conflitos podem fornecer recrutas, campos de treinamento, conhecimentos técnicos e proficiência lingüística para uma nova classe de terroristas "profissionais", para os quais a violência política se tornará um fim por si só.
- **Jihadistas estrangeiros** — pessoas prontas para combater em qualquer lugar onde as terras muçulmanas estiverem sendo atacadas pelo que eles entendem ser "invasores infiéis" — têm cada vez mais apoio de muçulmanos que não são necessariamente simpáticos ao terrorismo.

Mesmo que o número de extremistas diminua, a ameaça terrorista deve continuar. Por intermédio da Internet e de outras tecnologias da comunicação sem fio, os indivíduos mal-intencionados serão capazes de arregimentar membros para sua causa mais rapidamente, em uma amplitude maior, global e de forma obscura. A rápida dispersão de Biotecnologia e de outras formas letais de tecnologia aumenta o potencial de um indivíduo não-afiliado a qualquer grupo terrorista causar um grande número de baixas.

Armas, táticas e alvos. No passado, as organizações terroristas dependiam de patrocinadores ligados aos governos para treinamento, aquisição de armas, apoio logístico, obtenção de passaportes e outros documentos, além de dinheiro, como apoio às suas operações. Em um mundo globalizado, grupos como o Hezbollah serão cada vez mais auto-suficientes em relação a essas necessidades, podendo atuar da mesma forma que um governo para preservar uma "integridade plausível", suprindo outros grupos e trabalhando por meio de terceiros para atingir seus objetivos e até mesmo se comprometer diplomaticamente com alguns governos.

Muitos atentados terroristas continuarão sendo executados basicamente com armas convencionais, incorporando novos meios de estar à frente dos agentes antiterroristas. Os terroristas provavelmente serão originais não apenas em relação às tecnologias ou armas que empregarão, mas principalmente no tocante aos seus conceitos originais, isto é, o escopo, o planejamento e o apoio aos atentados.

- Um dos conceitos que tende a continuar é o da realização de um grande número de atentados simultâneos, provavelmente em locais muito distantes uns dos outros.

Veículos carregados com explosivos continuarão a ser populares como armas assimétricas, mas os terroristas também devem empregar novas tecnologias de explosivos, usando até mesmo veículos aéreos operados por controle remoto.

> "O uso de agentes biológicos pelos terroristas é, portanto, uma tendência — e o leque de opções deve crescer."

O zelo religioso dos terroristas muçulmanos extremistas aumenta seu desejo de perpetrar atentados que resultem em um número elevado de óbitos. Historicamente, terroristas inspirados pelo fervor religioso são mais destrutivos, pois os grupos aos quais pertencem os isentam de restrições.

A tendência mais preocupante é o esforço intensificado que alguns grupos terroristas têm devotado à obtenção de armas de destruição em massa. Nossa maior preocupação é que esses grupos possam adquirir agentes biológicos ou artefatos nucleares — menos provável — capazes de provocar um grande número de mortes.

- O Bioterrorismo parece particularmente adequado aos pequenos grupos que operam com apoio da inteligência. Na verdade, o laboratório dos bioterroristas poderá ser do tamanho de uma cozinha doméstica e a arma lá fabricada, menor que uma torradeira. O uso de agentes biológicos pelos terroristas é, portanto, uma tendência — e o leque de opções deve crescer. Como normalmente há uma demora para reconhecer as doenças propagadas, em um "cenário de pesadelo" um atentado poderia ter sucesso antes mesmo que as autoridades percebam que estão sob ataque.

- O uso de aparatos de dispersão radiológica pode ser eficiente para criar pânico, por causa da concepção errônea que o público tem do poder letal desses ataques.

Com os avanços nos projetos de armas nucleares simplificadas, os terroristas continuarão a tentar obter materiais e recursos para fabricar essas armas. Pode-se esperar, também, que eles continuem tentando comprar ou até mesmo roubar armas nucleares, particularmente da Rússia ou do Paquistão. Dada a possibilidade de os terroristas conseguirem adquiri-las, o uso desses recursos pelos extremistas antes de 2020 não pode ser previsto.

Espera-se que os terroristas também tentem desenvolver e executar atentados cibernéticos que causem danos a sistemas de computadores e que corrompam redes vitais de informação.

Os EUA e seus interesses no exterior continuarão a ser os principais alvos dos terroristas, mas mais atentados podem ser dirigidos a países do Oriente Médio e da Europa Ocidental.

Crime organizado

A mudança dos padrões geo-estratégicos determinará a atividade do crime organizado nos próximos 14 anos. Esse tipo de crime deve alastrar-se em países ricos em recursos que estão passando por significativas transformações políticas e econômicas, como Índia, China, Rússia, Nigéria e Brasil — até mesmo Cuba, se o sistema de partido único for extinto. Alguns dos antigos países do Pacto de Varsóvia também permanecerão vulneráveis ao crime organizado.

- As nações que migraram para sistemas de partido único — como, por exemplo, os países nos quais a orientação islâmica chegou ao poder — serão vulneráveis à corrupção e ao desenvolvimento do crime organizado, especialmente se sua ideologia exige grande envolvimento do governo na economia.

- As mudanças nos padrões de migração podem introduzir alguns tipos de crime organizado em países onde não existiam antes. Grupos criminosos com base na identidade étnica terão como vítimas pessoas de suas próprias diásporas, usando-as para se estabelecer nas novas regiões.

Alguns sindicatos do crime organizado firmarão alianças informais uns com os outros. Eles tentarão corromper os líderes de países instáveis, economicamente frágeis, insinuando-se em bancos e empresas problemáticos, explorando tecnologias da informação, além de cooperar com movimentos insurgentes para controlar grandes áreas geográficas.

Os grupos criminosos organizados não devem tentar derrubar governos, mas tentarão se infiltrar nos países onde o governo é fraco, vulnerável à corrupção e incapaz ou sem vontade política de aplicar a lei eficientemente.

- Os sindicatos criminosos, particularmente os cartéis de tráfico de drogas, podem conquistar controle virtual sobre regiões inteiras, nas quais os governos centrais não conseguem fazer valer a lei.

Se os governos de países que possuem armas de destruição em massa perderem o controle desses recursos, o risco de o crime organizado traficar armas nucleares, biológicas ou químicas crescerá até 2020.

Acreditamos que o relacionamento entre terroristas e crime organizado permanecerá basicamente restrito aos negócios, isto é, os terroristas recorrerão aos criminosos para conseguir documentos falsos, armas contrabandeadas ou assistência logística sempre que não conseguirem esses itens por seus próprios meios. Os grupos criminosos não devem, porém, formar alianças a longo prazo com os terroristas. O crime organizado é motivado pela obtenção de lucro e tende a considerar mau negócio qualquer atividade que exija mais do que isso. No entanto, os líderes terroristas se preocupam com o fato de os laços com parceiros sem ideologia aumentarem as chances de infiltração policial ou de o lucro seduzir os fiéis.

Guerra cibernética?

Durante os próximos 14 anos, um número cada vez maior de atores, inclusive de terroristas, pode adquirir e desenvolver a capacidade de conduzir ataques físicos e cibernéticos contra centros mantenedores da infra-estrutura de informação global, inclusive Internet, redes de telecomunicação e sistemas de computação que controlam processos industriais importantes, como usinas elétricas, refinarias e mecanismos de controle de enchentes. Os terroristas já especificaram como alvo a infra-estrutura de informação dos EUA e são capazes de ataques que poderiam corromper os sistemas, mesmo com uma menor abrangência. A capacidade de responder a esses ataques tornará necessário o uso de tecnologia avançada para minorar a vantagem dos atacantes sobre os defensores.

O principal campo de batalha cibernético do futuro será a informação dos próprios sistemas de computação. Novas tecnologias permitirão o acesso a dados vitais, seja por meio de aparelhos remotos, seja por invasão de sistemas ligados à Internet, ou ainda por acesso direto por meio de espiões.

Conflitos internos intensificados

Economias atrasadas, identidades étnicas, fortes convicções religiosas e bolsões de jovens se alinharão para criar uma "grande tempestade" que volatilizará os conflitos internos. A governabilidade desses países determinará, porém, se isso acontecerá realmente, bem como qual será a extensão do problema. É nas nações incapazes de satisfazer as expectativas dos seus cidadãos e de resolver os conflitos entre suas populações que a violência irrompe com mais ferocidade e freqüência. Na sua maioria, esses países estão em um arco de instabilidade que se estende da África subsaariana ao norte desse continente, e continua através do Oriente Médio, nos Bálcãs, Cáucaso, Ásia Central, sul da Ásia e em partes do Sudeste Asiático. Os países dessas regiões ficaram, em geral, "para trás" no processo de globalização.

- O número de conflitos internos baixou significativamente entre o final da década de 1980 e o começo da de 1990, quando a dissolução da União Soviética e dos regimes comunistas da Europa Central permitiu que insurgentes motivados por razões étnicas e nacionalistas fossem em busca da realização de suas metas. Apesar da perspectiva positiva, a continuação de problemas internos em países institucionalmente fracos cria condições para que haja conflitos mais sérios no futuro.

"Economias atrasadas, identidades étnicas, convicções religiosas intensas e bolsões de jovens se alinharão para criar uma 'grande tempestade' que volatilizará os conflitos internos."

Quase sempre, os conflitos internos são violentos, duradouros e difíceis de resolver. Muitos desses conflitos geraram fluxos de refugiados, desestabilizando países vizinhos.

A África subsaariana continua correndo o risco de as emergências humanitárias resultantes de conflitos piorarem ainda mais. Os genocídios com o intuito de anular completa ou parcialmente um grupo racial, religioso ou étnico, bem como os conflitos causados por outros crimes contra a humanidade — como expulsão de grandes populações —, tendem a gerar migração em massa e intensa demanda por ajuda humanitária.

"A África em 2020... se parecerá cada vez mais com uma colcha de retalhos, com significativas diferenças econômicas e sociais."

Alguns conflitos internos, particularmente os que envolvem grupos étnicos reivindicando alterações das fronteiras nacionais, correm o risco de se transformar em conflitos regionais. No limite extremo, os conflitos internos podem provocar colapso político no país onde se alastram, com expansão territorial e populacional sem controle governamental efetivo. Nesses casos, esses territórios podem se tornar santuários para terroristas transnacionais (como a Al Qaeda, no Afeganistão) ou para cartéis criminosos e de tráfico de drogas (como na Colômbia).

Países emergentes: os pavios do conflito?

A tendência de um grande conflito entre potências evoluindo para guerra mundial nos próximos 14 anos é menor que em qualquer época do século passado e diferente dos conflitos dos séculos anteriores, quando disputas locais se transformavam em grandes guerras. A rigidez dos sistemas de aliança antes da Primeira Guerra Mundial e durante o período entre as duas guerras mundiais, bem como a divisão do mundo em blocos durante a Guerra Fria, fez com que os pequenos conflitos fossem rapidamente generalizados. Hoje, porém, mesmo que irrompam hostilidades por conta de questões como Taiwan ou entre a Índia e o Paquistão, as potências que estão de fora do problema, bem como os atores nele envolvidos, limitarão sua extensão.

Além disso, a crescente interdependência de financiamento global e das redes comerciais agirá de forma a impedir disputas entre as grandes potências: EUA, Europa, China, Índia, Japão e Rússia.

Isso não elimina, porém, a possibilidade de um grande conflito entre potências. A ausência de mecanismos efetivos de resolução de conflitos em algumas regiões, o aumento do sentimento nacionalista em alguns países e as emoções dos dois lados do problema aumentam as chances de tal previsão se mostrar diferente.

- Embora um confronto militar entre China e Taiwan atrapalhasse os planos de Pequim de conquistar aceitação como potência regional e global, não podemos desconsiderar essa possibilidade. Mesmo se a proclamação de independência de Taiwan levar Pequim a tomar medidas que hoje busca evitar, o simples crescimento do exército chinês, o que permite a qualquer momento o uso de força militar contra Taiwan, aumenta o risco de conflito armado.

- A Índia e o Paquistão parecem ter consciência do alto preço que pagariam se iniciassem um conflito. Mas os sentimentos nacionalistas estão exacerbados e não tendem a se acalmar. Em um cenário plausível, o Paquistão poderia usar armas nucleares para conter o sucesso das forças convencionais indianas — maiores que as do Paquistão —, particularmente por conta da falta de profundidade estratégica do Paquistão.

"Avanços tecnológicos no campo dos armamentos — maior alcance, mais precisão e mais poder de destruição — criam circunstâncias que estimulam o uso de força militar."

Se houver um conflito que envolva uma ou mais potências, as conseqüências seriam significativas. Avanços tecnológicos no campo dos armamentos — maior alcance, mais precisão e mais poder de destruição — criam circunstâncias que estimulam o uso de força militar. O maior alcance dos mísseis e melhores sistemas de ataques aéreos serão garantias de êxito para os que possuírem essas tecnologias.

Como a África subsaariana pode evoluir?

A maioria dos especialistas regionais que consultamos acredita que o cenário mais provável para a África em 2020 é o do continente se parecer cada vez mais com uma colcha de retalhos, com significativas diferenças econômicas e sociais.

A capacidade de a África se beneficiar dos elementos positivos da globalização dependerá de algumas habilidades dos países no sentido de resolver individualmente seus conflitos internos, melhorar sua governabilidade, acabar com a corrupção e estabelecer o cumprimento efetivo da lei. Se houver progresso nessas áreas, poderá haver aumento de investimento estrangeiro, que hoje se acha restrito ao setor petrolífero. Nossos especialistas regionais sentem que se os líderes africanos usassem esse investimento para impulsionar suas economias — abrindo caminhos para a riqueza em vez de fazer isso por meio do poder do Estado —, eles poderiam ser capazes de mitigar a miríade de problemas que assolam esses países, com a perspectiva de prosperidade diminuindo o conflito.

A expansão do desenvolvimento das fontes de riqueza existentes ou novas será a chave da solução do problema africano. Apesar de os recursos naturais e minerais não serem distribuídos uniformemente entre esses países, a África subsaariana dispõe de muitos desses recursos, além de ter potencial para se tornar auto-suficiente em termos de produção de alimentos — e também de se tornar uma grande exportadora de animais, pesca e de produtos agrícolas. A diminuição ou eliminação de barreiras tarifárias e de subsídios agrícolas na UE e nos EUA, combinadas com a demanda por matérias-primas por parte da China e da Índia, pode impulsionar as economias africanas a superar décadas de preços desvantajosos de *commodities*.

Os especialistas concordam que reformas econômicas e boa governabilidade são essenciais para o crescimento econômico. Eles também concluíram que os países africanos devem tomar a iniciativa de negociar novos relacionamentos comerciais, que antes eram ditados por instituições internacionais financeiras do mundo desenvolvido. A NPDA (Nova Parceria para o Desenvolvimento da África) provê um mecanismo para realizar essa transformação econômica se seus membros honrarem seus compromissos individuais e coletivos.

Nos próximos 14 anos, a reforma democrática continuará lenta e imperfeita em muitos países por causa de uma série de problemas sociais e econômicos, mas é improvável que a democracia venha a ser desafiada na África. Os líderes africanos estabelecem alianças com ONGs internacionais e domésticas que às vezes buscam suplantar certos serviços fornecidos pelo Estado, bem como com redes criminosas que operam livremente através das fronteiras nacionais e grupos islâmicos desejosos de estabelecer santuários. Alguns países podem sucumbir, mas em outros a qualidade geral da democracia provavelmente irá melhorar. Muitos líderes da nova geração vêm do setor privado e se sentem mais confortáveis no ambiente democrático que seus predecessores, podendo conferir uma forte dinâmica política para a democracia no futuro.

A liderança será a carta principal, que, mesmo em face de circunstâncias menos promissoras, poderá fazer uma enorme e positiva diferença. Embora os países com lideranças fracas tenham dificuldade em consolidar o processo, aqueles com boa liderança e que promoverem a ordem, as instituições e a resolução de conflitos têm boas chances de sucesso.

Até as defesas estratégicas se tornarem tão eficientes quanto os ataques, haverá grandes vantagens associadas à capacidade de estender os conflitos geograficamente, a fim de impedir que o atacante constitua bases em regiões de difícil acesso. Além disso, vários conflitos recentes que usaram tecnologia avançada demonstraram que o resultado das primeiras batalhas quase sempre determina o sucesso de toda a campanha. Sob essas circunstâncias, os especialistas militares acreditam que a precaução deve se mostrar necessária para a obtenção de sucesso estratégico.

O fator armas de destruição em massa

Armas nucleares

Nos próximos 14 anos, diversos países continuarão seus programas de desenvolvimento de armas nucleares, químicas e biológicas, no que, em alguns casos, serão bem-sucedidos. Os países que atualmente possuem armas nucleares buscarão manter sua liderança e certamente otimizarão seus arsenais, melhorando a precisão e o poder letal dos seus sistemas de ataque, desenvolvendo meios de destruição de sistemas de defesa por mísseis. A demonstração aberta de capacidade nuclear por parte de qualquer país **desacreditará ainda mais o atual movimento de desarmamento**, bem como causará uma possível mudança no equilíbrio de poder e aumentará o risco de empregar armas nucleares nos conflitos.

- Os países sem armas nucleares, especialmente no Oriente Médio e no nordeste da Ásia, podem decidir desenvolvê-las, caso seus vizinhos e rivais regionais façam a mesma coisa.
- A assistência de "proliferadores", inclusive de antigos empresários do setor privado, como a rede A. Q. Khan, reduzirá o tempo necessário para que os países interessados desenvolvam armas nucleares.

"Os países sem armas nucleares... podem decidir desenvolvê-las caso seus vizinhos e rivais regionais façam a mesma coisa."

Armas químicas e biológicas

O desenvolvimento de armas químicas (AQ) e biológicas (AB) e a proliferação do *know-how* para fabricá-las constituirão uma grave ameaça, principalmente por causa dos terroristas, conforme observamos.

- Por conta da meta de alguns grupos terroristas no sentido de empregar armas que possam ser usadas com facilidade e que causem grande número de baixas, provavelmente testemunharemos o uso, pelos terroristas, das armas químicas e biológicas já disponíveis.

Os países continuarão a desenvolver AQs e ABs em infra-estruturas aparentemente comerciais, escondendo sua produção e tornando-os menos dependentes de fornecedores estrangeiros.

- Grandes avanços nas Ciências Biológicas e na Tecnologia da Informação acelerarão o desenvolvimento de agentes biológicos, aumentando a dificuldade de serem detectados ou neutralizados. Até 2020, alguns países continuarão a desenvolver agentes químicos destinados a burlar o regime de verificação da Convenção sobre Armas Químicas.

Tendências globais dos conflitos internos, 1990 – 2003

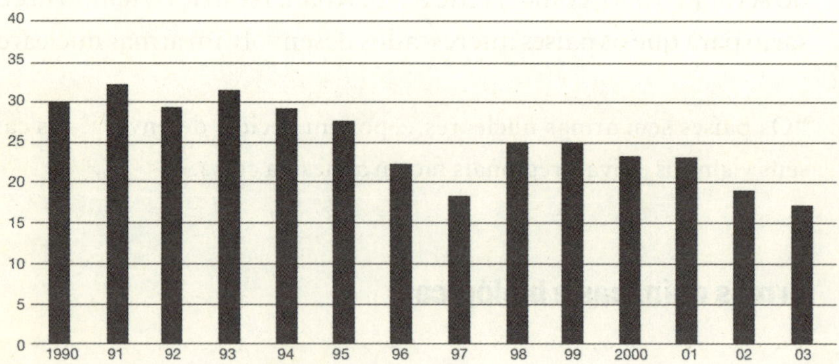

Fonte: Dados retirados do Projeto Upsala de Dados sobre Conflitos, publicados pelo Instituto Internacional de Pesquisa sobre a Paz de Estocolmo.

"O desenvolvimento de agentes químicos e biológicos e a proliferação de conhecimento relacionado serão ameaças significativas, especialmente por parte dos terroristas."

Sistemas de ataque

A segurança será ameaçada por mísseis balísticos e de cruzeiro cada vez mais letais e precisos, e por veículos aéreos não-tripulados (VANTs). É quase certo que os países continuarão a investir em melhorias dos seus sistemas de mísseis. Por volta de 2020, muitas nações terão adquirido mísseis de cruzeiro de ataque-terra capazes de ameaçar os EUA se disparados perto da costa norte-americana. A Coréia do Norte e o Irã terão capacidade de fabricar um ICBM* antes de 2020 e estarão trabalhando nas melhorias desses sistemas, embora novos regimes nesses países possam repensar esses objetivos. Diversas nações devem desenvolver veículos espaciais para colocar satélites domésticos em órbita e aumentar o prestígio nacional. O veículo espacial é um passo-chave em direção ao ICBM, pois pode ser usado em um projeto para o seu desenvolvimento.

Instituições internacionais em crise

As maiores pressões sobre as instituições internacionais tornarão muitas delas incapacitadas, a não ser que possam ser radicalmente adaptadas para acomodar novos atores e novas prioridades. Instituições regionais terão de enfrentar o desafio de responder às ameaças transnacionais trazidas pelos distúrbios econômicos, terrorismo, crime organizado e proliferação de armas de destruição em massa. As instituições criadas depois da Segunda Guerra

* N. do T.: Sigla inglesa para míssil balístico intercontinental.

Mundial, como a Organização das Nações Unidas, bem como as instituições financeiras internacionais, correm o risco de se tornarem obsoletas, a não ser que leve em consideração o crescente poder das potências emergentes.

- Tanto os que apóiam o multilateralismo como os que a ele se opõem concordam que Ruanda, Bósnia e Somália demonstraram ineficiência, falta de preparo e fraqueza por parte de suas instituições globais e regionais para lidar com aquilo que tende a ser o tipo mais comum de conflito.

O problema da ineficiência do Estado — que é uma fonte ou o incubador de várias ameaças transnacionais — requer uma melhor coordenação entre as instituições, inclusive as de financiamento internacional e de órgãos regionais de segurança.

Construir um consenso global sobre como e onde intervir deve ser o maior desafio à eficiência. Um desafio essencial aos olhos de muitos especialistas, caso as instituições multilaterais realmente desejem realizar seu potencial. Muitos países, especialmente os emergentes, continuam a se preocupar com a questão de estabelecer precedentes que provoquem uma intervenção externa contra eles. Contudo, muitos problemas podem ser resolvidos eficientemente apenas por meio do seu reconhecimento imediato e de medidas preventivas.

Outros temas que devem aparecer na agenda internacional aumentarão ainda mais a pressão sobre a ordem internacional coletiva e sobre os países. Esses "novos" temas podem se tornar parte importante da diplomacia internacional, da mesma forma que a questão dos direitos humanos foi importante nas décadas de 1970 e 1980. Assuntos éticos ligados às descobertas biotecnológicas, como clonagem, organismos geneticamente modificados e acesso à Biomedicina podem se tornar fonte de calorosos debates entre países e regiões. Conforme a tecnologia aumenta a capacidade dos países de rastrear terroristas, preocupações como privacidade e extraterritorialidade podem aumentar. De maneira semelhante, os debates sobre temas ambientais ligados à mudança climática podem causar confusão na ordem internacional, jogando os EUA contra seus aliados europeus, bem como países em desenvolvimento contra países desenvolvidos, a não ser que haja mais cooperação em âmbito global. As potências emergentes podem entender os debates éticos e ambientais como uma tentativa por parte dos países ricos de desacelerar seu progresso ao impor padrões ou valores "ocidentais". A reforma institucional também pode se tornar um tema de debate. Muitas pessoas nos países em desenvolvimento acreditam que o poder dos órgãos internacionais reflete mais um retrato do mundo pós-Segunda Guerra Mundial que o atual.

Regras da guerra: entrando na "Terra de Ninguém"

Com a maioria dos conflitos armados assumindo formas **não-convencionais** ou **irregulares** — como intervenções humanitárias e operações destinadas a eliminar bases terroristas — em vez da guerra convencional entre países, os princípios relacionados aos recursos e ao uso de força militar serão questionados cada vez mais. A lei internacional, que assegura a soberania territorial, e a Convenção de Genebra, que estabelece condutas de guerra, foram desenvolvidas antes que as ameaças à segurança transnacional, características do século XXI, fossem um fato.

No final da década de 1990, as denúncias do tratamento dado pelo ex-presidente sérvio Milosevic aos kosovares estimularam a aceitação do princípio das intervenções internacionais humanitárias, apoiando a tese dos analistas pertencentes à tradição "apenas guerra", os quais argumentaram, desde a fundação da ONU, que a comunidade internacional tem a "obrigação de interferir" a fim de evitar atrocidades. Esse princípio, porém, continua a ser vigorosamente contestado pelos países preocupados com o fato de ele abalar o princípio da soberania nacional.

O *status* e o direito legal dos prisioneiros feitos durante operações militares e suspeitos de envolvimento com o terrorismo serão tema de controvérsia — como aconteceu com muitos dos prisioneiros capturados durante a operação Liberdade Duradoura, no Afeganistão. Um debate sobre até onde os líderes religiosos e outros que estimulam a violência devem ser considerados terroristas internacionais também deve vir a campo.

A guerra do Iraque levantou questões sobre que tipo de *status* conferir ao grande número de terceiros usado pelos militares norte-americanos para fornecer segurança, vigiar centros de detenção de prisioneiros de guerra e para interrogar esses prisioneiros.

A proteção a ONGs em situação conflitante é outro tema que se tornou mais complicado à medida que instituições de caridade — como missionários Wahabi dando apoio financeiro a causas terroristas — foram criticadas e processadas na mesma época em que o Ocidente e certas ONGs se tornaram "alvos menores" em situações de conflito.

O próprio papel dos EUA de buscar estabelecer normas é tema de debate e provavelmente complicará os esforços da comunidade global de chegar a um acordo sobre novas regras. A contenção e limitação da intensidade e selvageria dos conflitos serão agravadas pela ausência de regras claras.

"As instituições criadas depois da Segunda Guerra Mundial, como a ONU, bem como as instituições financeiras internacionais, correm o risco de se tornar obsoletas, a não ser que levem em consideração o crescente poder dos países em desenvolvimento."

Ambientes de pós-guerra representam o maior desafio

Para os EUA, particularmente, como as décadas passadas podem ser consideradas orientações sobre como lutar e vencer, nos próximos 14 anos a guerra convencional não deve representar um desafio. Entretanto, o esforço da comunidade internacional para evitar a guerra e assegurar que os conflitos não sejam prelúdios para novas guerras pode continuar incerto.

- A formação de países é um conceito imperfeito, mais ainda em face da crescente importância de identidades culturais, étnicas e religiosas.
- O esforço da África de montar uma força regional de paz é uma promessa, mas a África subsaariana lutará para atrair recursos suficientes e para desenvolver vontade política.
- O enorme custo em tempo e em recursos investidos na formação de países ou nas operações de estabilidade em países após um conflito ou uma grande crise deve ser um problema sério nas nações que fazem parte dessa coalizão.

Cenário fictício: O Ciclo do Medo

Este cenário explora o que pode acontecer se a preocupação com a proliferação aumentar a ponto de serem tomadas medidas de segurança em grande escala. Nesse mundo, os proliferadores — como traficantes de armas ilegais — podem ter cada vez mais dificuldade de agir, mas ao mesmo tempo, com a disseminação de armas de destruição em massa, mais países desejarão se armar para sua própria proteção. Este cenário é mostrado através de trocas de mensagens em formato de texto entre dois traficantes de armas. Um deles é comprometido ideologicamente e deseja garantir que o mundo muçulmano tenha sua parte no arsenal mundial de armas de destruição em massa, enquanto o outro só almeja o lucro. Nenhum deles tem certeza de quem está no final da corrente, ou seja, se o cliente é um governo ou uma organização terrorista. Conforme o cenário se desenvolve, o ciclo de medo originado pelo uso de armas de destruição em massa pelos terroristas sai de controle — o que beneficia os traficantes de armas, que parecem estar fechando negócios muito lucrativos. No entanto, medo gera medo. As medidas draconianas implementadas pelos governos para evitar a proliferação e para se defenderem do terrorismo também aterrorizam os traficantes de armas. Neste quadro, a globalização pode ser a verdadeira vítima.

Dois traficantes de armas tramam alguma atividade ilegal não especificada...

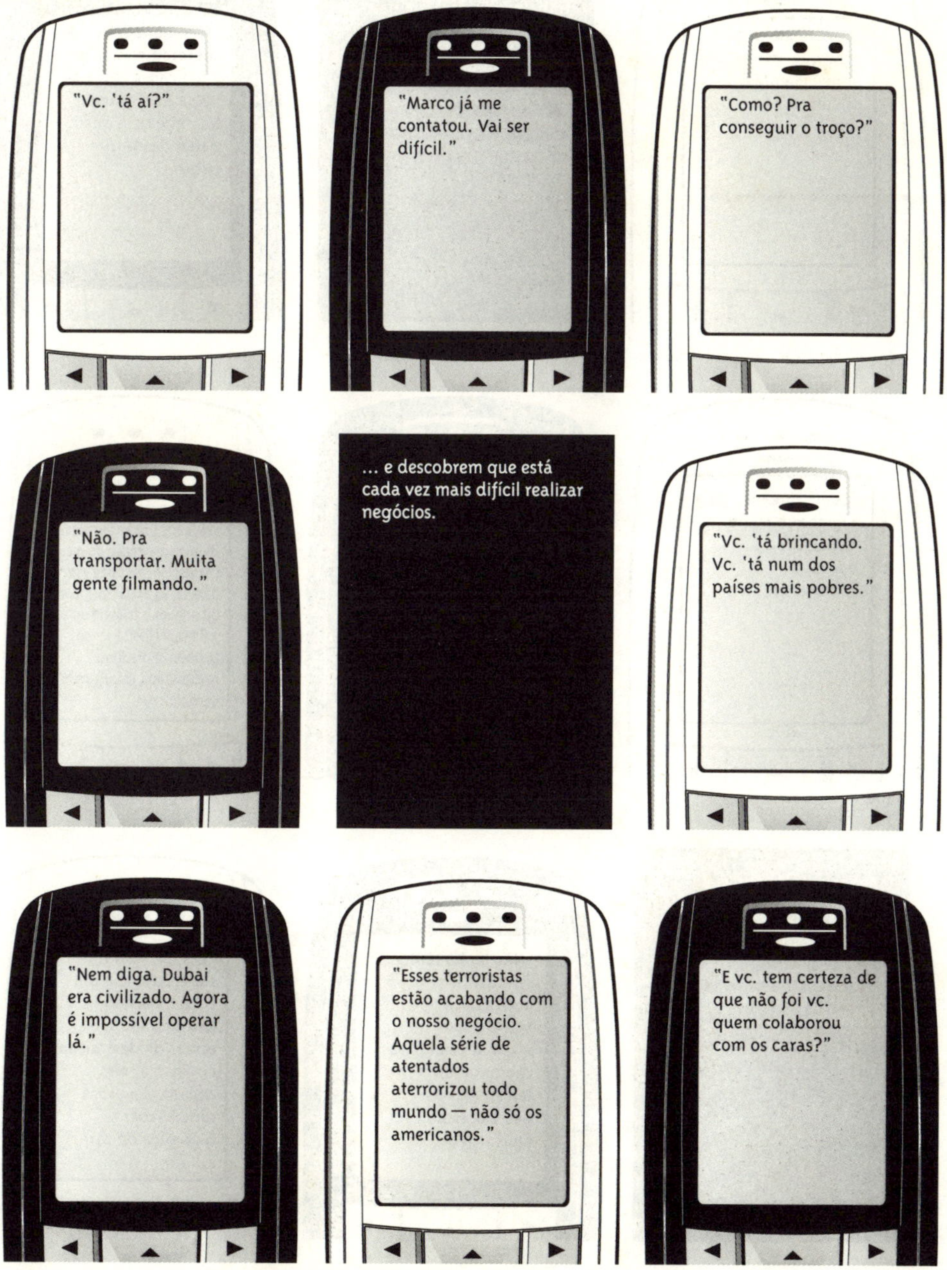

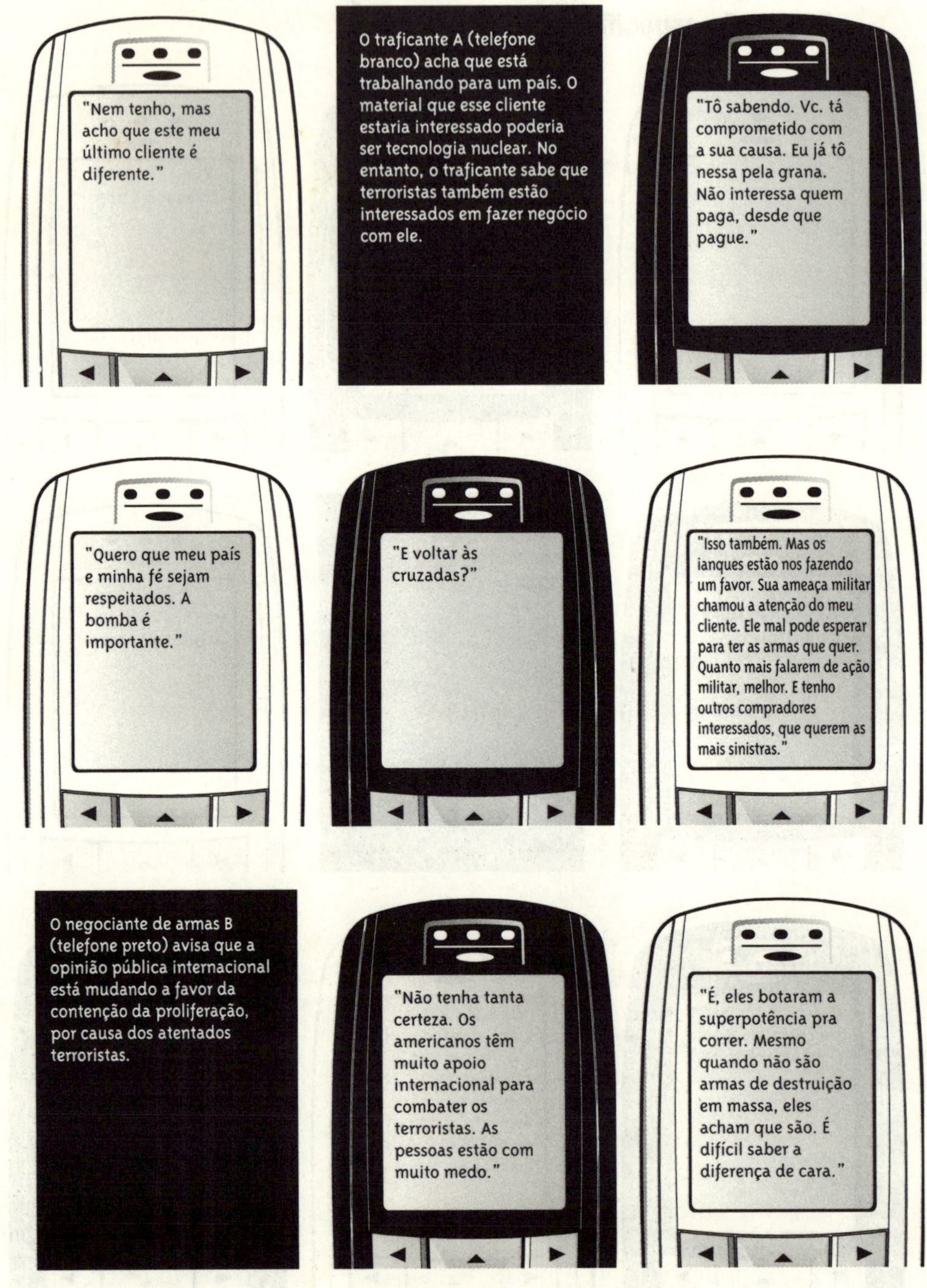
"Nem tenho, mas acho que este meu último cliente é diferente."
O traficante A (telefone branco) acha que está trabalhando para um país. O material que esse cliente estaria interessado poderia ser tecnologia nuclear. No entanto, o traficante sabe que terroristas também estão interessados em fazer negócio com ele.
"Tô sabendo. Vc. tá comprometido com a sua causa. Eu já tô nessa pela grana. Não interessa quem paga, desde que pague."
"Quero que meu país e minha fé sejam respeitados. A bomba é importante."
"E voltar às cruzadas?"
"Isso também. Mas os ianques estão nos fazendo um favor. Sua ameaça militar chamou a atenção do meu cliente. Ele mal pode esperar para ter as armas que quer. Quanto mais falarem de ação militar, melhor. E tenho outros compradores interessados, que querem as mais sinistras."
O negociante de armas B (telefone preto) avisa que a opinião pública internacional está mudando a favor da contenção da proliferação, por causa dos atentados terroristas.
"Não tenha tanta certeza. Os americanos têm muito apoio internacional para combater os terroristas. As pessoas estão com muito medo."
"É, eles botaram a superpotência pra correr. Mesmo quando não são armas de destruição em massa, eles acham que são. É difícil saber a diferença de cara."

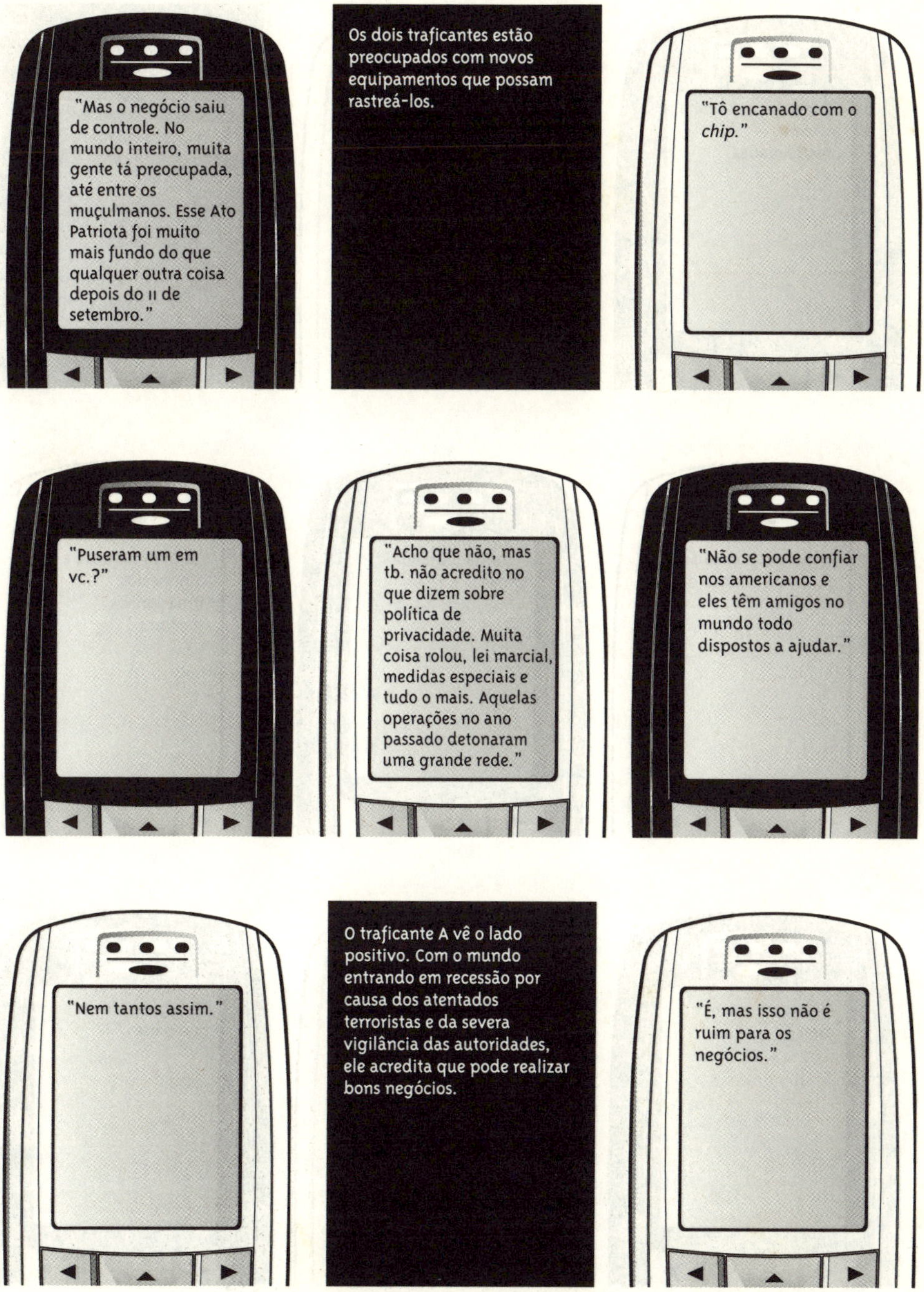
"Mas o negócio saiu de controle. No mundo inteiro, muita gente tá preocupada, até entre os muçulmanos. Esse Ato Patriota foi muito mais fundo do que qualquer outra coisa depois do 11 de setembro."
Os dois traficantes estão preocupados com novos equipamentos que possam rastreá-los.
"Tô encanado com o *chip*."
"Puseram um em vc.?"
"Acho que não, mas tb. não acredito no que dizem sobre política de privacidade. Muita coisa rolou, lei marcial, medidas especiais e tudo o mais. Aquelas operações no ano passado detonaram uma grande rede."
"Não se pode confiar nos americanos e eles têm amigos no mundo todo dispostos a ajudar."
"Nem tantos assim."
O traficante A vê o lado positivo. Com o mundo entrando em recessão por causa dos atentados terroristas e da severa vigilância das autoridades, ele acredita que pode realizar bons negócios.
"É, mas isso não é ruim para os negócios."

"Que negócio? Tenho inúmeras possibilidades."
"Vc. tá certo. Muita gente caindo. O que aconteceu com a globalização? (rsrsrsrs)"
O traficante A volta a explicar por que os atentados terroristas aumentaram o interesse do governo em programas de armas de destruição em massa.
"Um monte de países quer uma política de segurança."
"Contra o Grande Irmão."
"O Grande Irmão e alguns dos irmãozinhos menores."
"O que vc. quer dizer?"
"Meu cliente tá se borrando todo de medo dos terroristas."
"É, alguns viraram minipaíses."

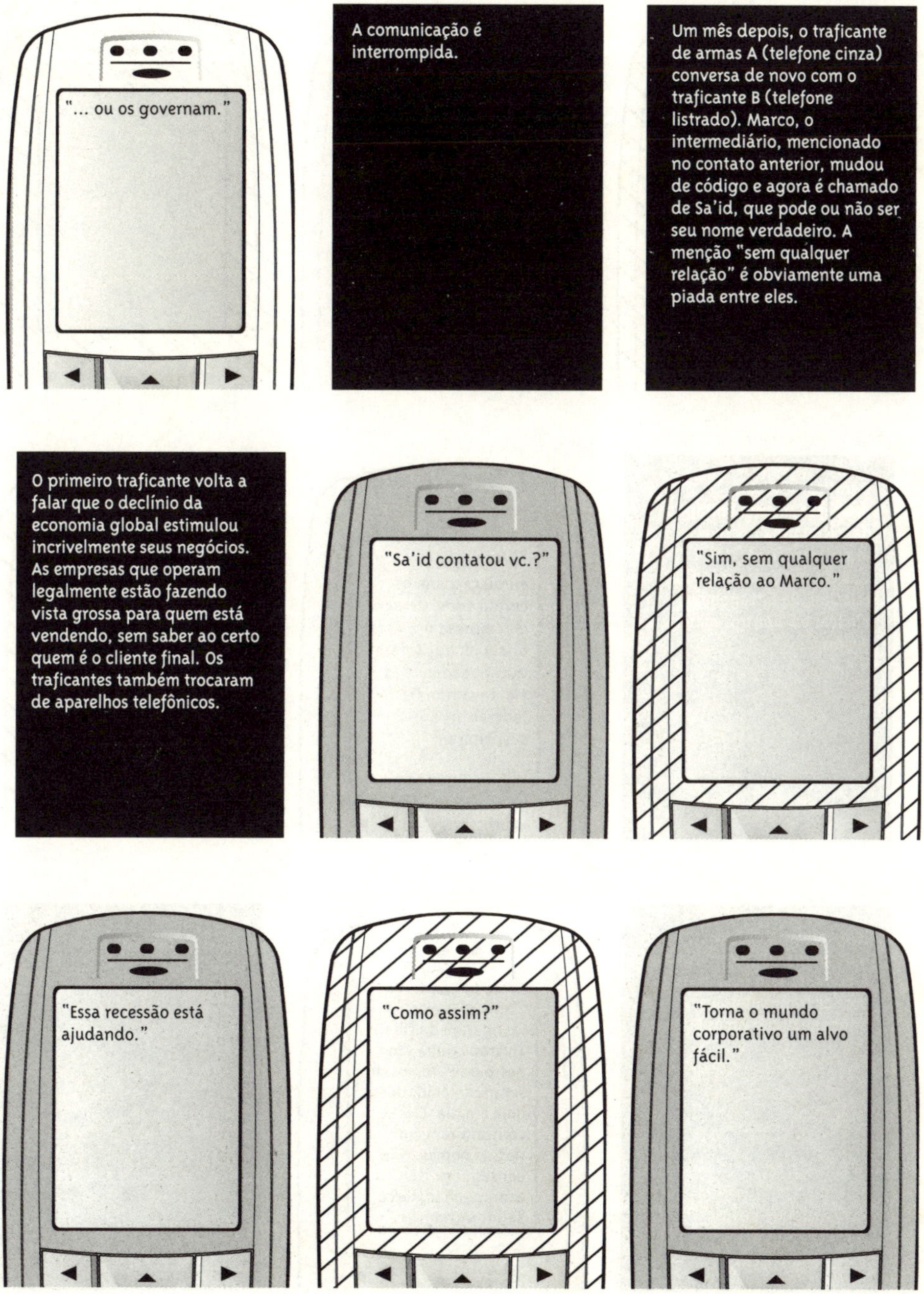
"... ou os governam."
A comunicação é interrompida.
Um mês depois, o traficante de armas A (telefone cinza) conversa de novo com o traficante B (telefone listrado). Marco, o intermediário, mencionado no contato anterior, mudou de código e agora é chamado de Sa'id, que pode ou não ser seu nome verdadeiro. A menção "sem qualquer relação" é obviamente uma piada entre eles.
O primeiro traficante volta a falar que o declínio da economia global estimulou incrivelmente seus negócios. As empresas que operam legalmente estão fazendo vista grossa para quem está vendendo, sem saber ao certo quem é o cliente final. Os traficantes também trocaram de aparelhos telefônicos.
"Sa'id contatou vc.?"
"Sim, sem qualquer relação ao Marco."
"Essa recessão está ajudando."
"Como assim?"
"Torna o mundo corporativo um alvo fácil."

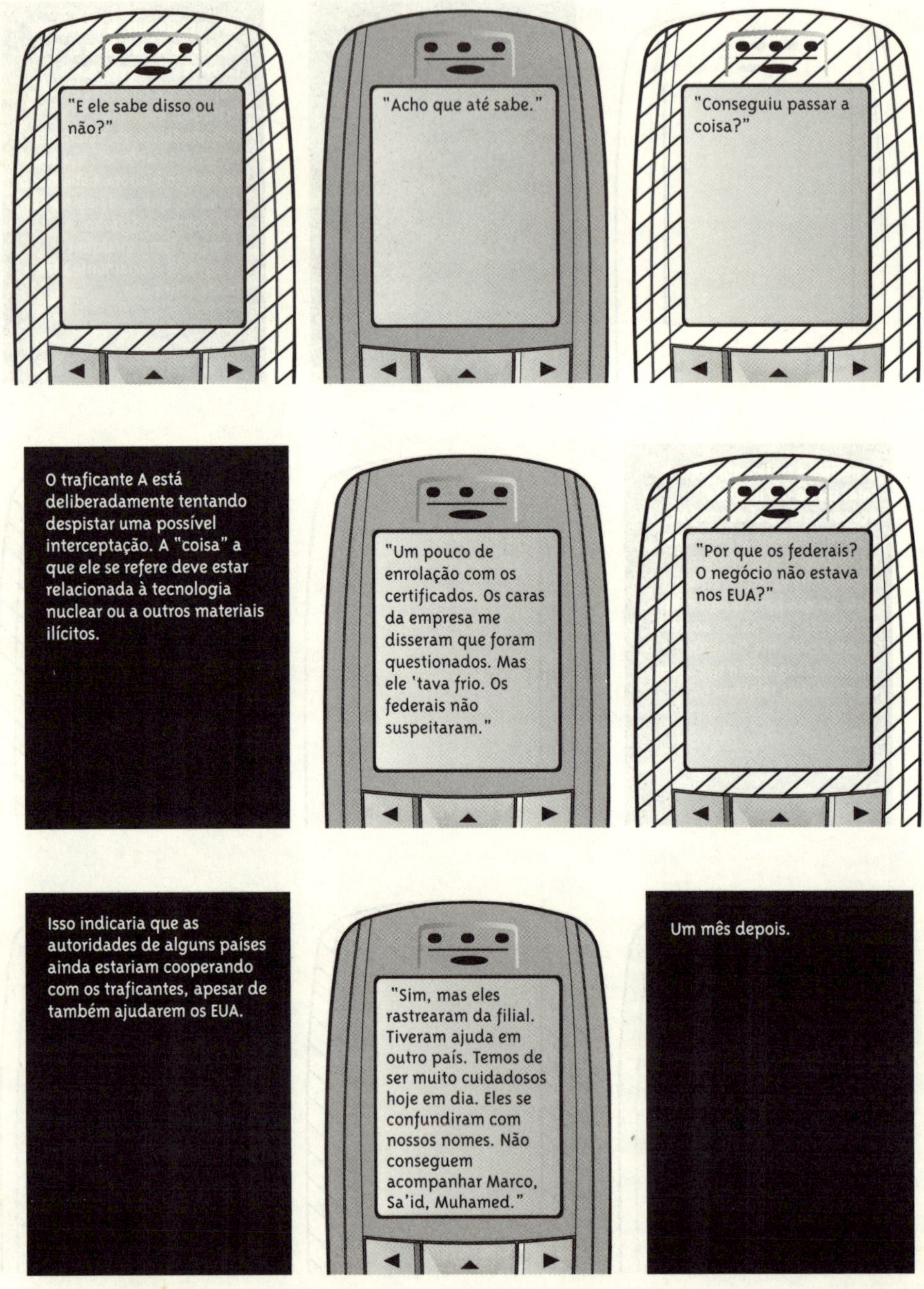
"E ele sabe disso ou não?"
"Acho que até sabe."
"Conseguiu passar a coisa?"
O traficante A está deliberadamente tentando despistar uma possível interceptação. A "coisa" a que ele se refere deve estar relacionada à tecnologia nuclear ou a outros materiais ilícitos.
"Um pouco de enrolação com os certificados. Os caras da empresa me disseram que foram questionados. Mas ele 'tava frio. Os federais não suspeitaram."
"Por que os federais? O negócio não estava nos EUA?"
Isso indicaria que as autoridades de alguns países ainda estariam cooperando com os traficantes, apesar de também ajudarem os EUA.
"Sim, mas eles rastrearam da filial. Tiveram ajuda em outro país. Temos de ser muito cuidadosos hoje em dia. Eles se confundiram com nossos nomes. Não conseguem acompanhar Marco, Sa'id, Muhamed."
Um mês depois.

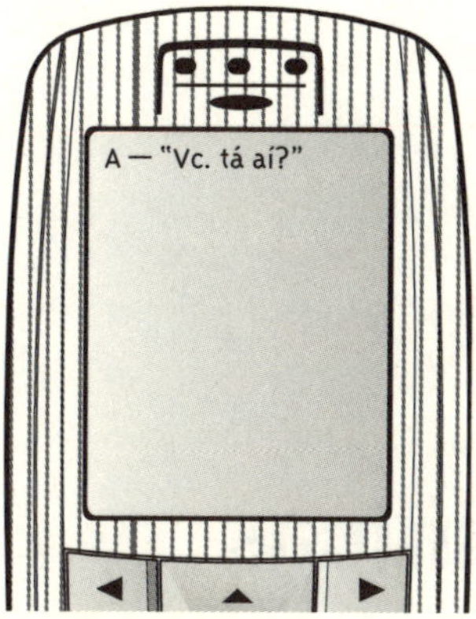

Não fica claro se a mensagem de texto chegou ao seu destino, se o traficante B está escondido ou se foi preso. Pode-se esperar que o traficante A comece a ficar preocupado.

Lições aprendidas:

- Uma vez iniciado o ciclo de terror, gerado por um aumento da disseminação de armas de destruição em massa e pelos atentados terroristas, ele seria difícil de ser interrompido. A insegurança pode fazer com que países busquem incluir armas de destruição em massa em seus arsenais para sua proteção.
- A complicação em deter a disseminação de armas de destruição em massa seria o fator ideológico, conforme exemplificado por um dos traficantes de armas no cenário. Alguns traficantes não estariam no negócio simplesmente por dinheiro, mas para igualar as forças entre os países muçulmanos e ocidentais.
- Seria importante que se conseguisse atingir um equilíbrio de maneira que o comércio internacional não seja obstruído por medidas excessivas de segurança, uma vez que as crises econômicas podem levar empresários e cientistas a assumir atividades altamente lucrativas, porém ilegais.
- Será um grande desafio desenvolver e sustentar a cooperação internacional em um quadro de ciclo de medo.

Implicações políticas

A ordem internacional passará por grandes modificações até 2020 — as maiores desde o fim da Segunda Guerra Mundial. Percebemos que as perspectivas para a prosperidade global e a tendência limitada de um conflito entre as grandes potências propiciam um ambiente favorável para enfrentar os desafios futuros. Apesar de esses desafios serem temerários, os EUA, em particular, estarão mais bem posicionados que a maioria dos outros países para se adaptar às mudanças no ambiente global.

Conforme nossos cenários ilustram, percebemos diversas maneiras através das quais as grandes mudanças globais podem começar e tomar forma, impulsionadas pelas forças de mudança nos próximos 14 anos. De certa forma, os cenários nos dão diferentes **lentes** para observarmos os desenvolvimentos futuros, enfatizando a grande gama de fatores, dificuldades e incertezas que formarão a nova ordem global. Uma das lentes é a economia globalizada, outra é o papel na segurança mundial exercido pelos EUA, uma terceira é o papel da identidade social e religiosa, e uma quarta lente é a falência da ordem mundial em função da falta de segurança. Todas essas questões enfatizam vários "pontos de mutação" que podem influenciar o futuro. Os pontos mais importantes são: o impacto do robusto crescimento econômico e da disseminação de tecnologia; a natureza e o alcance do terrorismo; a fraqueza política de certos países, particularmente os do Oriente Médio, Ásia Central e África; e o potencial risco de conflitos, inclusive entre nações.

- Como demonstra o cenário hipotético **Mundo de Davos**, um crescimento econômico robusto provavelmente ajudaria a superar divisões e incluiria mais regiões e países na nova ordem mundial. Entretanto, as rápidas mudanças também podem produzir desordens — uma das lições aprendidas nesse e em outros cenários é que a globalização deve ser administrada de modo a não sair dos trilhos.

A estrutura da política internacional desenvolvida em todos os cenários sugere que **outros atores que não sejam países** continuarão a assumir um papel mais proeminente, apesar do fato de que eles não ocuparão o lugar das nações. Esses atores vão de terroristas, os quais continuarão a ser uma ameaça à segurança internacional, a ONGs e empresas multinacionais, exemplos de forças positivas a promover a disseminação da tecnologia, o progresso social e econômico e a assistência humanitária.

Os EUA e outros países continuarão a ser vulneráveis ao **terrorismo internacional**. Conforme observamos no cenário **Ciclo do medo**, as campanhas terroristas assumirão proporções nunca antes vistas, particularmente se envolverem o uso de armas de destruição em massa, uma das poucas tendências que poderiam ameaçar a globalização.

O esforço do contra-terrorismo nos próximos anos — contra grupos terroristas os mais diversos, ligados mais por ideologia e tecnologia do que pela geografia — será um desafio maior que o combate a uma organização centralizada, como a Al Qaeda. Quanto menos estreitas forem as relações entre os terroristas e suas células, mais difícil será rastreá-los e combatê-los.

Liderança tecnológica dos EUA corre riscos?

Os investimentos dos EUA em pesquisa e desenvolvimento de tecnologia contribuíram diretamente para a liderança econômica e militar norte-americana durante o período posterior à Segunda Guerra Mundial. Foram os EUA, por exemplo, que inventaram e comercializaram o semicondutor, o computador pessoal e a Internet*. Apesar de os norte-americanos ainda serem líderes, há sinais de que essa liderança está ameaçada.

O número de engenheiros formados chegou ao seu pico em 1985, e atualmente diminuiu 20%. O percentual de estudantes se inscrevendo em cursos de engenharia é o segundo menor entre os países desenvolvidos. A China forma aproximadamente três vezes mais engenheiros que os EUA. Entretanto, as preocupações com segurança pós-11 de setembro dificultou o ingresso de estudantes estrangeiros nas universidades norte-americanas e, em alguns casos, de profissionais de outras nações em empresas do país#. Universidades de outros países — para as quais o visto norte-americano não é necessário — estão tentando explorar a situação para se fortalecer.

A pesquisa e desenvolvimento financiados pela indústria privada — que responde por 60% do total dos EUA — sofreram, até o momento, três anos consecutivos de declínio‡. Além disso, grandes grupos multinacionais estão estabelecendo "centros de pesquisa" fora dos EUA.

* Adam Segal, "Is America losing its edge? Innovation in a globalized world", *Foreign Affairs*, nov./ dez. de 2004, Nova Iorque, p. 2.

William Wulf (presidente da Academia Nacional de Engenharia), "Observations on S&T trends and their potential impact on our future". Documento de 2004 submetido ao Center for Strategic and International Studies (CSIS) para complementar estudo sobre 2020 do Conselho Nacional de Segurança.

‡ Adam Segal, "Is America losing its edge? Innovation in a globalized world", *Foreign Affairs*, nov./ dez. de 2004, Nova Iorque, p. 3.

Embora esses sinais sejam evidentes, o caráter integrativo da globalização e a força inerente ao sistema econômico norte-americano não permitem uma análise imediata quanto ao declínio da liderança tecnológica dos EUA. Estudos recentes demonstram que os EUA ainda são a sociedade mais competitiva entre as maiores economias mundiais*. Em um mundo globalizado, onde as informações são rapidamente compartilhadas — inclusive as compartilhadas internamente, entre a matriz e as subsidiárias de multinacionais que extrapolam fronteiras —, o criador de novas tecnologias ou avanços científicos pode não ser necessariamente aquele que colherá as vantagens mercadológicas.

- Um dos nossos cenários — ***Pax* americana** — prevê um caso onde o consenso entre EUA e Europa acerca do combate ao terrorismo se fortalece, mas em outros cenários, inclusive o hipotético **Novo Califado,** os interesses norte-americanos, russos, chineses e europeus divergem, possivelmente limitando a cooperação na luta contra o terrorismo.

"Os EUA terão de combater a opinião pública mundial, a qual mudou dramaticamente desde o fim da Guerra Fria."

O sucesso da campanha global contra o terrorismo, liderada pelos EUA, depende da capacidade de os países combaterem o terrorismo em seu próprio território. Os esforços de Washington no sentido de aumentar as forças de segurança de outras nações e de trabalhar com elas em suas prioridades (como combater o crime) devem aumentar a cooperação.

* Global Competitiveness Report 2004-2005, Fórum Econômico Mundial. Disponível em: www.weforum.org. Acessado em: outubro de 2004.

- A defesa interna dos EUA começará no exterior. Como já está ficando mais difícil para os terroristas entrar em território norte-americano, eles podem tentar atacar o país a partir das nações vizinhas.

Uma estratégia de contra-terrorismo que aborde o problema em várias frentes oferece uma chance maior de conter — e até de reduzir — a ameaça terrorista. O desenvolvimento de sistemas políticos mais abertos, maiores oportunidades econômicas e aumento da influência dos reformadores muçulmanos seriam vistos de forma positiva pelas comunidades islâmicas que não apóiam os objetivos radicais dos extremistas muçulmanos. O cenário de um **Novo Califado** dramatiza o desafio de combater as causas da violência, não apenas suas ações.

- O Oriente Médio não deve ser o único campo de batalha onde será travada a luta entre os extremistas e os reformadores. Os muçulmanos europeus e de outras nacionalidades sem ser do Oriente Médio têm exercido um papel importante nos conflitos ideológicos internos. E o grau de integração nas sociedades européias percebido pelas minorias muçulmanas tende a influenciar sua opinião sobre o choque de civilizações ser inevitável ou não. Da mesma forma, cada vez mais o Sudeste Asiático tem sido palco de operações terroristas.

Os problemas da **proliferação de armas de destruição em massa** e da conseqüente motivação por parte de outros países em adquirir armas nucleares também estão relacionados à ameaça terrorista. Conforme ilustrado no cenário **Ciclo do medo**, os esforços globais para criar barreiras que contenham a disseminação de armas de destruição em massa e para dissuadir outros países a desistir da tentativa de obter armas nucleares ou de destruição em massa continuarão a ser um desafio. Como muitos dos nossos cenários indicam, a revolução nas comunicações permite a proliferação de certas vantagens para a realização de negócios ilícitos e para despistar as autoridades. Além disso, a "assistência" que os proliferadores fornecem diminuiria em muitos anos o tempo que alguns países levariam para desenvolver armas nucleares.

Como o mundo vê os EUA

Nas seis reuniões regionais que tivemos, pedimos aos participantes que expressassem suas percepções sobre o papel dos EUA como líder do seu próprio desenvolvimento e do restante do mundo.

Ásia

Os participantes sentem que a preocupação dos EUA com a guerra contra o terrorismo é irrelevante para a segurança da maioria dos asiáticos. A questão-chave que os norte-americanos precisam se perguntar é se o país pode oferecer aos países asiáticos uma visão interessante sobre a segurança e a ordem locais que rivalizará e excederá a oferecida pela China.

A falta de compromisso com os temas importantes dos aliados asiáticos dos EUA pode aumentar a tendência de eles se voltarem para Pequim, permitindo assim que a China crie sua própria ordem de segurança local, que excluiria os EUA.

Os participantes percebem que a emergência da China não precisa ser necessariamente incompatível com a ordem mundial liderada pelos norte-americanos. A questão crítica é se essa ordem é flexível o suficiente para acomodar uma nova distribuição de poder em sentido global. Uma ordem mundial inflexível aumenta a tendência de haver conflitos entre os países emergentes e os EUA. Porém, se a ordem mundial for flexível, será possível acomodar as potências emergentes e, ao mesmo tempo, fortalecer a ordem internacional durante o processo.

África subsaariana

Os líderes da África subsaariana temem que os EUA e outros países desenvolvidos retirem a ajuda que prestam à região e a abandonem.

Os participantes observaram que os EUA e outros países ocidentais podem não continuar aceitando o "produto de exportação" africano de maior sucesso: sua gente. A nova diáspora africana é esmagadoramente composta de emigrantes econômicos, em vez de emigrantes políticos, como aconteceu no passado.

Alguns participantes percebem que os africanos temem que, nos próximos 14 anos, o bloco ocidental passe a ver alguns países da região como "sem esperança", por conta das condições econômicas, problemas ecológicos e circunstâncias políticas.

Os participantes temem que os EUA se concentrem apenas nos países africanos bem-sucedidos.

América Latina

Os conferencistas reconheceram que os EUA são o jogador-chave do hemisfério nos campos econômico, político e militar. Ao mesmo tempo, percebem que Washington não dá a devida atenção à região, e em vez de responder a problemas sistemáticos, apenas reage a crises isoladas. Os participantes vêem uma tendência fundamentalista em Washington, a qual levaria ao isolamento, a uma posição unilateral e à falta de cooperação. A maioria sente que a "guerra contra o terrorismo" promovida pelos EUA tem pouco a ver com a política de segurança da região.

Os imigrantes latino-americanos estão atuando como força estabilizadora nos EUA. Eles são uma importante parte da mão-de-obra norte-americana, e os dólares que remetem aos seus países, bem como as percepções de um governo democrático e da iniciativa individual, terão um impacto positivo na América Latina.

A política norte-americana para a região também pode ter um impacto positivo. Alguns participantes dizem que a América Latina se beneficiaria da aplicação, por parte dos EUA, de mecanismos para a resolução de problemas regionais, em vez de adotar medidas punitivas contra regimes não-alinhados ideologicamente com Washington, como o de Fidel Castro.

Oriente Médio

Os participantes sentem que o papel dos EUA continuará a ser crucial na região. A manutenção de regimes corruptos pelos norte-americanos, com o objetivo de garantir acesso às fontes fornecedoras de petróleo, ajudou a promover uma estagnação contínua no Oriente Médio. O fim dessas relações é altamente improvável, mas teria um efeito incalculável.

Em relação às perspectivas de democracia na região, os participantes sentem que o Ocidente enfatizou demais a realização de eleições, o que, apesar de importante, é apenas um elemento do processo de democratização. O consenso geral é de que, se os EUA e a Europa puderem apoiar e encorajar os reformadores em vez de confrontar os dissidentes, o processo democrático deverá ser estabelecido mais rapidamente.

Alguns especialistas do Oriente Médio argumentam que Washington não acrescentou absolutamente nada à política local porque se concentrou em ditadores árabes e não cultivou líderes emergentes tanto de dentro como de fora dos governos regionais.

Embora o Oriente Médio tenha muito a ganhar com a globalização, os especialistas concordam que os árabes muçulmanos temem que certos aspectos da globalização, especialmente a perceptível influência dos valores e da moral ocidentais, em especial norte-americanos, sejam uma ameaça aos seus valores culturais e religiosos tradicionais.

Europa e Eurásia

Os conferencistas participaram de um caloroso debate a respeito da um rompimento entre os EUA e a Europa possibilidade de ocorrer nos próximos 14 anos, aventando a possibilidade de que o colapso da parceria EUA-UE venha a ocorrer como conseqüência de um colapso do sistema internacional. Muitos participantes consideraram que, se os EUA mudarem seu foco de atenção para a Ásia, o relacionamento EUA-UE pode se desgastar profundamente.

- Os participantes se dividiram entre os que consideram que a emergência da China aproximará ainda mais os EUA da Europa e aqueles que pensam o contrário.
- Eles também se dividiram a respeito da importância para a aliança dos problemas econômicos, ambientais e de energia, comuns tanto aos EUA como à Europa.

Na nossa conferência sobre a Eurásia, os participantes concordaram que os EUA têm influência limitada nas políticas domésticas dos países da Ásia Central, embora o sucesso ou o fracasso dos EUA no Iraque implique que as conseqüências se estenderão à Ásia Central. Os países da Eurásia ocidental, crêem os especialistas, continuarão a buscar o equilíbrio entre a Rússia e o Ocidente. Esses mesmos especialistas percebem que a Ucrânia continuará a buscar sua admissão na OTAN e na UE, enquanto a Geórgia e a Moldávia manterão sua orientação atual.

"Uma estratégia de contra-terrorismo que aborde o problema em várias frentes oferece uma chance maior de conter — e até mesmo de reduzir — a ameaça terrorista."

Do ponto de vista positivo, uma das características dos próximos 14 anos é a maior disponibilidade de **alta tecnologia,** não apenas para os que a desenvolvem, mas para os que a consomem. Como procuramos deixar claro no cenário **Mundo de Davos,** os líderes tecnológicos não são os únicos que podem esperar ter benefícios — as sociedades que integrarem e aplicarem as novas tecnologias também colherão dividendos. Por exemplo, nosso cenário demonstra os efeitos benéficos de novas tecnologias na África, ajudando a erradicar a pobreza. Conforme observamos neste relatório, as empresas globais terão um papel fundamental na promoção da prosperidade e na disseminação de inovações tecnológicas.

A paisagem geopolítica — dramaticamente alterada — também apresenta um grande desafio para o sistema internacional e para os EUA, que têm sido os mantenedores da ordem mundial depois da Segunda Guerra. As feições que serão assumidas em 2020 — incluindo as conseqüências causadas pelas potências emergentes da Ásia, pelo entrincheiramento da Eurásia, pelas perturbações no Oriente Médio e pelas rupturas de parcerias transatlânticas — ainda são incertas e variáveis.

- Com o relaxamento dos laços formados durante a Guerra Fria, tende-se a estabelecer alianças não-tradicionais. Por exemplo, o interesse compartilhado no multilateralismo como pedra fundamental das relações internacionais é visto por alguns estudiosos como a base de um estreito relacionamento entre a Europa e a China.

Conforme o cenário ***Pax* americana** sugere, as parcerias transatlânticas seriam um fator-chave para que Washington se mantenha no centro da política internacional. A capacidade de a Europa assumir mais responsabilidades econômicas não está clara e depende da capacidade da região de superar seus problemas econômicos e demográficos, bem como de criar uma visão estratégica para seu papel no mundo. Em outros aspectos — PIB, localização estratégica, governos estáveis e gastos militares coletivos — a Europa tem capacidade para aumentar sua participação no cenário internacional.

> "Para Washington, lidar com uma Ásia emergente pode ser o maior desafio entre todas as suas relações regionais."

A **Ásia** é particularmente importante como impulsionadora das mudanças que ocorrerão nos próximos 14 anos. Uma incerteza básica é se a emersão da China e da Índia ocorrerá tranqüilamente. Vários temas estarão em jogo, como o futuro do sistema de comércio global, avanços tecnológicos, a forma e o escopo da globalização. Para Washington, lidar com uma Ásia emergente pode ser o maior desafio entre todas as suas relações regionais. Pode-se vislumbrar uma série de possibilidades, desde os EUA aumentarem seu peso como mediador entre as potências regionais, até o fato de Washington vir a ser considerado irrelevante. Os problemas da Coréia e de Taiwan devem vir à baila, e a maneira como eles serão abordados será um importante fator a delinear os futuros laços entre os EUA e a Ásia, bem como o peso dos EUA na região. A posição do Japão na área também deve se transformar, conforme o país assume o desafio de representar um papel mais independente na segurança regional.

"Uma incerteza básica é se a emergência da China e da Índia ocorrerá tranqüilamente."

Com a emergência dos gigantes asiáticos, as **vantagens econômicas e tecnológicas** dos EUA podem ficar vulneráveis.

- Apesar do aumento da interdependência, os crescentes investimentos asiáticos em pesquisas de alta tecnologia, aliados ao rápido crescimento dos mercados da região, aumentarão a competitividade da Ásia em diversas áreas dos campos econômico e técnico.
- A dependência dos EUA de petróleo estrangeiro também deixa o país mais vulnerável, conforme aumenta a concorrência entre os consumidores e crescem os riscos de interrupção do abastecimento.

No **Oriente Médio**, as reformas de mercado, o estabelecimento da democracia e os avanços no sentido de assegurar a paz entre os árabes e os israelenses fomentariam as mudanças em direção ao surgimento de políticas mais radicais na região — e promoveriam uma maior harmonia nas relações internacionais. Alguns dos nossos cenários enfatizam a possibilidade de o Oriente Médio continuar no centro do arco de instabilidade que se estende da África à Ásia Central e ao Sudeste Asiático — e é um campo fértil para atividades terroristas e proliferação de armas de destruição em massa.

A concretização de um cenário semelhante ao **Novo Califado** seria o maior de todos os desafios, uma vez que rejeitaria todos os fundamentos sobre os quais o atual sistema internacional foi construído. Essa possibilidade aponta para a necessidade de encontrar meios para integrar as sociedades e regiões que ficaram para trás ou que rejeitam certos elementos do processo de globalização. O simples fornecimento de oportunidades econômicas pode não ser suficiente para os países pobres se beneficiarem da globalização. Além disso, a tendência generalizada de formar identidades religiosas e culturais sugere que várias identidades que extrapolam o conceito de Estado soberano deverão ser acomodadas em um mundo globalizado.

A interdependência resultante da globalização enfatiza a importância não só da **manutenção da estabilidade** nas regiões que impulsionam a economia global — onde cerca de um terço da população mundial reside —, mas também de ajudar os países pobres em diferentes regiões do mundo, os quais ainda têm de se modernizar e participar da comunidade globalizada. Dois dos nossos cenários — ***Pax* americana** e **Mundo de Davos** — discutem os diferentes papéis que os EUA deverão assumir como provedor de segurança e estabilizador de finanças.

A **Eurásia**, especialmente a Ásia Central e o Cáucaso, provavelmente será uma área de crescentes preocupações, por conta do grande número de países potencialmente falidos, radicalismo expresso pelo Islamismo radical e sua importância estratégica como região por onde passam oleodutos e gasodutos para abastecer de energia tanto o Ocidente como o Oriente. As trajetórias desses países serão influenciadas por potências como Rússia, Europa, China, Índia e EUA, que poderão atuar como agentes estabilizadores. A Rússia tende a ser particularmente ativa, buscando fazer com que os problemas dos países eurasianos não migrem para o seu território, mesmo apesar dos enormes problemas internos que os russos enfrentam. Na parte ocidental da região, Ucrânia, Bielo-Rússia e Moldávia, nações relativamente novas, podem diminuir sua vulnerabilidade ao estabelecer um relacionamento mais estreito com a Europa e a União Européia.

Algumas partes da **África** têm problemas semelhantes aos dos países mais fracos da Eurásia e continuarão a fazer parte do chamado "arco de instabilidade". Conforme sugere o cenário hipotético **Mundo de Davos**, a globalização deve aumentar os preços das *commodities* e expandir o crescimento econômico, o que será uma verdadeira bênção para os países onde houver governabilidade. Particularmente, o norte da África deverá se beneficiar dos laços que serão estabelecidos com a Europa.

As nações da **América Latina** deverão se tornar mais diversificadas, dividindo-se entre as que puderam explorar as oportunidades advindas da globalização e prosperaram, e as que não tiveram, por um ou outro motivo — como os países andinos —, a mesma possibilidade e ficaram para trás. A governabilidade e a liderança distinguirão as sociedades que prosperarão das que não têm condições de se adaptar. As duas regiões podem ter histórias de sucesso — como os casos do Brasil e da África do Sul — capazes de fornecer um modelo para os outros países. Os EUA estão posicionados apenas como facilitadores do crescimento e integração da América Latina, buscando diminuir o potencial de fragmentação.

O número de **conflitos internos e entre países** tem diminuído, mas seu potencial letal e possibilidade de crescimento é uma tendência.

- Em 2020, apesar de nenhum país ter condições de rivalizar sozinho o poderio militar norte-americano, cada vez mais nações estarão em posição de contestar os EUA nas suas regiões. A posse de armas químicas, biológicas e/ou nucleares por um número cada vez maior de países aumentará a dificuldade de qualquer ação militar empreendida pelos EUA e seus aliados.

- Muitos adversários dos EUA, sejam eles países ou outros atores, reconhecerão a superioridade militar norte-americana. No entanto, em vez de se conformar com o poderio dos EUA, esses adversários buscarão minimizar a força norte-americana e explorar suas fraquezas usando estratégias assimétricas, como o terrorismo e a aquisição ilegal de armas de destruição em massa, conforme ilustrado no cenário **Ciclo do medo.**

"... nenhum país terá condições de rivalizar sozinho o poderio militar norte-americano em 2020."

Conforme nosso cenário ***Pax* norte-americana** dramatiza, os EUA provavelmente continuarão a participar como mediadores de **conflitos** como os que atualmente grassam na Palestina, na Coréia do Norte, em Taiwan e na Caxemira para garantir que não saiam de controle caso um acordo de paz não seja alcançado. No entanto, conforme indicam os cenários e tendências analisados neste documento, o desafio será aproveitar o potencial dos novos atores do cenário global para, juntos, assegurar a segurança mundial, aliviando assim um pouco da responsabilidade dos EUA. Tal mudança poderia inaugurar uma nova fase na política internacional.

- As crescentes despesas e investimentos militares da China e, em menor grau, da Índia, sugerem que os dois países poderão assumir uma maior responsabilidade em termos de segurança.
- As instituições internacionais e regionais também precisariam ser reformadas para responder aos desafios e assumir maiores responsabilidades.

Adaptar a ordem mundial pode ser muito difícil por conta do crescente número de **temas éticos** que têm o potencial de dividir a opinião pública internacional. Esses temas incluem: mudança ambiental e climática; clonagem e pesquisas com células-tronco; **ameaças à priva-**

cidade por conta de recursos biotecnológicos e de tecnologia da informação; direitos humanos; leis internacionais sobre conflitos; e o papel das instituições multilaterais.

Diversos temas éticos dividirão alianças tradicionais estabelecidas por motivos de segurança. Esses interesses divergentes aumentam a dificuldade de a comunidade internacional, inclusive os EUA, lidar com coalizões múltiplas e competitivas para alcançar soluções para alguns desses problemas.

- Seja qual for o seu resultado, o Tratado de Kyoto exemplifica como problemas que não eram tradicionais podem vir à tona e formar novas coalizões.
- A mídia é uma faca de dois gumes: de um lado, torna mais difícil a obtenção de um consenso, pois a imprensa tende a ampliar as diferenças; de outro, também promove discussões e a formação de consenso.

Os EUA terão de combater a opinião pública mundial, a qual mudou dramaticamente depois do final da Guerra Fria. Embora alguns aspectos do antiamericanismo* tendam a diminuir conforme a globalização for assumindo uma feição menos ocidental, a nova geração de líderes — diferentemente do período pós-Segunda Guerra Mundial — não vê os EUA como seu "libertador". Os jovens líderes tendem, portanto, a divergir mais que seus predecessores em relação à orientação de Washington sobre uma série de temas.

* A pesquisa de opinião da Pew Research realizada em todo o mundo revelou um forte aumento do antiamericanismo, especialmente no mundo muçulmano, mas também mostrou que os cidadãos dos países muçulmanos valorizam valores democráticos como liberdade de expressão, liberdade de imprensa, sistemas políticos múltiplos e tratamento igual a todos perante a lei. A grande maioria de quase todos os países muçulmanos é a favor de sistemas econômicos de livre mercado e crêem que a democracia ocidental pode funcionar para eles.

Finalmente, conforme sugere o cenário ***Pax* americana**, os EUA podem se confrontar com a cada vez mais difícil tarefa de administrar — a um preço aceitável — as relações com a Europa, a Ásia, o Oriente Médio e com outras nações do mundo. Contudo, em 2020, para todos os desafios do futuro, os norte-americanos estarão mais preparados que qualquer outro país para assumir um papel central na condução de temas econômicos, tecnológicos, políticos e militares. Mesmo que a atual ordem mundial seja ameaçada, os EUA terão muitas oportunidades de construir uma nova ordem.

Metodologia

Para lançarmos o *Projeto NIC (Conselho Nacional de Inteligência) 2020*, em novembro de 2003, reunimos 25 dos maiores especialistas de uma variada gama de disciplinas para participar de uma grande discussão com analistas da comunidade de inteligência. Convidamos três dos maiores "futuristas" — Ted Gordon, do *Millennium Project* da ONU; Jim Dewar, diretor do *Centro da Corporação RAND para Políticas Globais de Longo Prazo e para o Futuro da Condição Humana*; e Ged Davis, ex-diretor do projeto de cenários internacionais da Shell — para discutir seus trabalhos mais recentes, bem como as metodologias que usam para estudar o futuro. Harold James, historiador da Universidade de Princeton, forneceu o "tom" da discussão, oferecendo lições de períodos anteriores à "globalização".

Complementamos essas discussões com conferências e *workshops* que aprofundaram o estudo de temas de interesse específico, como novas tecnologias, a mudança na natureza da guerra, política de identidade, problemas de gênero, mudança climática e muitos outros (veja *box* com lista completa de conferências na página 232). Os participantes exploraram as principais tendências apresentadas pelos especialistas e, então, desenvolveram cenários alternativos sobre como essas tendências poderiam se desenvolver nos próximos 14 anos. Além disso, consultamos diversas organizações e indivíduos sobre os aspectos desse estudo, suas metodologias e abordagens.

- O Millennium Project da ONU — um órgão independente que assiste à ONU a respeito de estratégias a serem cumpridas para o desenvolvimento do projeto — forneceu valiosos dados sobre temas que influenciam grande parte do planeta. Também consultamos o Eurasia Group, Oxford Analytica, CENTRA Technologies e o Stimson Center.
- Outros estudiosos que consultamos foram Michael F. Oppenheimer, presidente do Global Scenarios, que atuou como facilitador em diversos encontros e nos assistiu com as metodologias; o professor das universidades Georgetown e Princeton John Ikenberry, que organizou vários seminários de especialistas acadêmicos durante mais de um ano a fim de examinar diversos aspectos da proeminência americana, bem como os rascunhos preliminares deste relatório; Enid Schoettle, que foi um dos arquitetos do Global Trends 2015; professor Barry B. Hughes, da Graduate School of International Studies da Uiversidade de Denver, cujo trabalho estatístico está no nosso *site*; Anne Solomon, conselheira sênior de política de tecnologia e diretora do Programa de Política Pública e Biotecnológica do Center for Strategic and International Studies de Washington, DC, que organizou diversas conferências sobre ciência e tecnologia; Elke Matthews, consultora independente que conduziu grande parte das pesquisas; Philip Jenkins, professor emérito de história e estudos religiosos da Pennsylvania State University, que nos forneceu valiosas informações sobre as tendências globais quanto a religião; Nicholas Eberstadt, titular da Cadeira Wendt de Economia Política, do American Enterprise Institute, que nos trouxe importantes perspectivas sobre temas demográficos; e Jeffrey Herbst, titular do Departamento de Polí-

tica da Universidade de Princeton, que foi fundamental para a nossa análise dos temas relacionados à África.

Conferências e *workshops* do Projeto 2020 do Conselho Nacional de Inteligência

Apresentação pelo Joint Doctrine e Concepts Center — Escritório Central da CIA (setembro de 2003)

Conferência sobre o antiamericanismo — Wye Plantation (outubro de 2003)

Conferência inaugural do Projeto 2020 do Conselho Nacional de Inteligência — Washington DC (novembro de 2003)

Série de reuniões sobre relações internacionais conduzidas pelo professor Ikenberry — Universidade de Georgetown (novembro de 2003 — novembro de 2004)

Conferência dos funcionários de inteligência dos EUA/Commonwealth — Washington DC (dezembro de 2003)

Mesa-redonda com os especialistas sobre a África — Washington DC (janeiro de 2004)

Workshop do Projeto 2020 do Conselho Nacional de Inteligência sobre o Oriente Médio — Wilton Park — Reino Unido (março de 2004)

Workshop do Projeto 2020 do Conselho Nacional de Inteligência sobre a África — Joanesburgo, África do Sul (março de 2004)

Evolução Global de Biotecnologia de Uso Dual — Washington DC (março de 2004)

Workshop do Projeto 2020 do Conselho Nacional de Inteligência sobre a Rússia e a Eurásia — Budapeste, Hungria (abril de 2004)

Workshop do Projeto 2020 do Conselho Nacional de Inteligência sobre a Europa — Budapeste, Hungria (abril de 2004)

Mesa-redonda sobre a Identidade Global — escritórios da CIA (maio de 2004)

Workshop do Projeto 2020 do Conselho Nacional de Inteligência sobre a Ásia — Cingapura (maio de 2004)

Conferência sobre Mudanças da Natureza da Guerra — Centro de Análises Navais (maio de 2004)

Workshop do Projeto 2020 do Conselho Nacional de Inteligência sobre a América Latina — Santiago, Chile (junho de 2004)

Fronteira tecnológica, poder global, riqueza e conflito — Center For Strategic and International Studies (CSIS) — (junho de 2004)

Mudanças Climáticas — Universidade de Maryland (junho de 2004)

NSA Tech 2020 — Baltimore, Maryland (junho de 2004)

Conferência Os Muçulmanos na Europa — Oxford, Inglaterra (julho de 2004)

As Mulheres em 2020 — Washington, DC (agosto de 2004)

Mesa-redonda sobre Liderança em Negócios — Escritórios da CIA (setembro de 2004)

A Índia e a Geopolítica em 2020 — Rosslyn, Virginia (setembro de 2004)

Mesas-redondas sobre cenários patrocinadas pelo Stimson Center — Washington, DC (primavera-verão 2004)

Informação e Comunicação, Coesão Tecnológica e Social e o Estado-nação — Washington, DC (setembro 2004)

Finalização do Projeto 2020 do Conselho Nacional de Inteligência — Virginia (outubro de 2004)

Consulta sobre o rascunho preliminar do Projeto 2020 do Conselho Nacional de Inteligência com especialistas do Reino Unido e do Instituto Internacional de Estudos Estratégicos — Londres, Inglaterra (outubro de 2004)

- As seguintes instituições organizaram as conferências regionais para o projeto: Wilton Park, Central European University, Bard College, the South African Institute for International Affairs, Adolfo Ibañes University, Nueva Mayoria e a Asia Society. Timothy Sharp e o professor Ewan Anderson da Sharp Global Studies LTD. organizaram uma conferência em Londres com especialistas do Reino Unido para criticar o rascunho preliminar do relatório.

- Também gostaríamos de agradecer nossos colegas da Comunidade de Inteligência dos Estados Unidos, que nos forneceram dados úteis e compartilharam suas idéias sobre as tendências globais.

Processo de desenvolvimento de cenários

Apesar de as projeções diretas serem úteis para estabelecer uma base de estudo, elas apresentam uma visão unidimensional sobre como o futuro irá se desenvolver e tendem a focar a atenção exclusivamente na "previsão". Os cenários oferecem visão mais dinâmica sobre as possibilidades futuras e colocam a atenção sobre as interações que podem ser significativas no estabelecimento de políticas. São especialmente úteis quando há grande incerteza quanto ao futuro, o que cremos ser o caso dos próximos 14 anos. Os cenários ajudam os líderes a ter uma perspectiva que vai além do pensamento convencional, permitindo que uma gama maior de possibilidades possa ser considerada — inclusive novos riscos e oportunidades.

Os seis *workshops* internacionais geraram uma enorme quantidade de dados sobre as principais tendências que devem promover a mudança regional até 2020. O pessoal do Projeto 2020 do Conselho Nacional de Inteligência realizou pesquisas adicionais, rascunhou documentos e iniciou o *follow-up* das discussões promovidas nas mesas-redondas e conferências. Analisamos as conclusões dos *workshops* regionais, destacamos as principais tendências regionais com implicações globais e buscamos identificar tendências transregionais. Essas conclusões foram selecionadas para servir de matéria-prima para o desenvolvimento dos cenários globais.

Para dar início ao processo de desenvolvimento do cenário global, o pessoal do Projeto 2020 do Conselho Nacional de Inteligência criou o SSG (Grupo de Liderança de Cenário) — um pequeno grupo composto por membros da comunidade política, estudiosos e analistas da comunidade de inteligência — para analisar os sumários com os dados coletados e considerar conceitos que consideraram a interação entre as principais tendências que fomentarão a mudança global. O SSG examinou o resultado dos *workshops* internacionais e estudou os cenários politicamente relevantes e plausíveis.

Estudamos exaustivamente importantes trabalhos sobre o futuro, realizados pelos setores público e privado por meio do emprego de técnicas de desenvolvimento de cenários identificados como "melhores práticas", e, então, desenvolvemos nossa própria abordagem, combinando análise de tendências e de cenários. Entre os documentos que influenciaram nosso trabalho destacamos aqueles produzidos pela Goldman Sachs, pelo Ministério de Defesa do Reino Unido e pela Shell International LTD. (veja box abaixo)

Trabalhos sobre cenários e o futuro que influenciaram nossas conclusões

Nossas consultas com Ged Davis, ex-chefe do esforço de construção de cenários da Shell International, reforçou nossa intenção de desenvolver cenários para formadores de decisão política. A Shell elabora cenários globais a cada três anos para que seus líderes possam tomar decisões mais acertadas. A partir da pesquisa inicial, a equipe da Shell gasta cerca de um ano realizando entrevistas e *workshops* para desenvolver e concluir seus cenários, buscando, ao longo do processo, assegurar um equilíbrio entre o pensamento não-convencional e o plausível. Usamos uma abordagem semelhante. Também aproveitamos o trabalho de outras organizações que realizam projeções futuras:

- O Joint Doctrine and Concepts Centre, um órgão integrante do Ministério de Defesa do Reino Unido, realizou o ambicioso projeto de desenvolver uma visão coerente sobre como o mundo poderá se desenvolver nos próximos 30 anos de forma a afetar a segurança do Reino Unido. O projeto — Tendências Estratégicas — foi elaborado para ajudar o Ministério de Defesa a entender e se preparar estrategicamente contra ameaças, riscos, desafios e oportunidades futuros. A Agência de Avaliação de Defesa e Pesquisa do Reino Unido revisou mais de 50 estudos sobre o futuro.

- A Rand Corporation —patrocinada pela Conselho Nacional de Segurança para atualizar sua monografia de 2001 *The Global Revolution: Bio/ Nano/Materials Trends and Their Synergies with IT by 2015* (A Revolução Global: Tendências da Bio e Nano Tecnologias e de Tecnologia de Materiais e Suas Sinergias na Tecnologia de Informação por volta de 2015) — forneceu a direção a tomar ao delinear as tendências tecnológicas e suas interações, ao identificar as aplicações que irão transformar o futuro, ao comentar os rascunhos e ao fornecer os conceitos de cenários relacionados à tecnologia.
- Peter Schwartz, presidente da Global Business Network e autor de *Inevitable Surprises*, assessorou-nos com valiosos conceitos sobre a natureza da surpresa, a interpretação de tendências através de análise transdisciplinar e sobre a aplicação de cenários no setor privado.
- A Toffler Associates contribuiu com idéias em diversos pontos do trabalho. Além disso, os doutores Alvin e Heidi Toffler participaram da nossa conferência final, compartilhando suas percepções sobre o futuro baseado na sua enorme experiência neste campo.
- O projeto da NSA (Agência Nacional de Segurança) — Tech 2020 —também nos ajudou a identificar as principais convergências tecnológicas que causarão impacto na sociedade até 2020. Nós também incorporamos as conclusões desse projeto e somos gratos à NSA por ter estimulado o diálogo sobre tendências futuras na comunidade de inteligência.

Depois de os conceitos de cenários terem sido explorados, criticados e debatidos entre os grupos convidados e organizados pelo Conselho Nacional de Inteligência (NIC), foram desenvolvidos oito cenários particularmente promissores. O NIC, então, organizou um *workshop* com um grupo maior de especialistas para analisar os oito cenários, discutir os méritos e as falhas de cada um e, finalmente, diminuir para quatro o número de cenários a serem incluídos na publicação final. Os cenários retratados nesta publicação foram selecionados por causa da sua relevância para os tomadores de decisão política e porque nos fazem questionar temas-chave do futuro, sem, porém, buscar fazer previsões.

Ferramentas interativas

O Projeto 2020 do Conselho Nacional de Inteligência também empregou tecnologia de informação e ferramentas analíticas que não estavam disponíveis durante os primeiros esforços da NIC. Seu escopo global exigiu que nós promovêssemos um diálogo mundial contínuo sobre o futuro. Com a ajuda de tecnologias da CENTRA, criamos um *site* interativo e protegido com senha para servir de repositório de discussão sobre os documentos e sumários de reuniões produzidos. O *site* também incluía *links* com uma enorme quantidade de dados para referência e análise. Continha ferramentas interativas que permitiram a nossos especialistas, tanto os domésticos como os estrangeiros, criar simulações computadorizadas que permitiram aos estudiosos desenvolver seus próprios cenários*. Grande parte do material produzido, com a publicação deste documento, foi transferida para o *site* aberto da NIC.

* Para acessar essas inovações visite o site da NIC: www.cia.gov/nic.

CENTRAL INTELLIGENCE AGENCY

UNITED STATES OF AMERICA

Este livro foi composto em Sabon, corpo 11/15.5 e Triplex light, corpo 10/15.5
e impresso pela *Lis Gráfica* sobre papel Pólen Bold 70 gr
para a *Ediouro Publicações* em 2006.